Elsemarie Maletzke

Gartenglück

Schöffling & Co.

Erste Auflage 2010

Einbandphoto: Marion Nickig
Satz: Reinhard Amann, Aichstetten
Druck und Bindung: Kösel, Krugzell
ISBN 978-89561-590-0

www.schoeffling.de

Gardening is the new sex!
The Times

Inhalt

Editorial
Gärtnern macht glücklich

Haben Gärtner einen Knall? Die Pressedame einer bedeutenden Frankfurter Grünanlage meint: Ja. Sie stützt sich auf die Erfahrung des täglichen Umgangs mit siebzig Gärtnern, die diese Anlage in Schuss halten. Ihre Theorie: Hierzulande genössen Gärtner weniger verbalen Auslauf als etwa in Großbritannien. Dort seien Gespräche über Blumenzwiebeln oder Komposthaufen quer durch alle Klassen sanktioniert. Niemand verwechsele dort eine panaschierte Rose mit einem Wiener Schnitzel und jeder könne sich hemmungslos über seine Ein- und Mehrjährigen verbreiten, ohne dass man ihn unübersichtlicher Beziehungen verdächtigte. Nicht so bei uns, wo Freunde der Hortikultur gesellschaftlich in eine leicht verschrullte Ecke gestellt würden, wo sie aus Mangel an Gesprächspartnern oft an verbaler Verstopfung litten und anfingen, mit den Rotkehlchen zu reden.

Wenn aber Gärtner einen Knall haben, wie steht es mit den übrigen Verdächtigen? Gärtnern ist die älteste Freizeitgestaltung, älter als Briefmarken sammeln, Pullover stricken, Volleyball oder mit Modelleisenbahnen spielen. Adam wurde aus einem Garten vertrieben, nicht aus einer Turnhalle oder seinem Hobbykeller, und es spricht für seinen gesunden Verstand, dass er wieder dahin zurück will. Unterwegs sind ihm nicht nur die Reineclaude und die Teehybride geglückt; er – und sie – haben in Jahrhunderten Monumente der Augenlust geschaffen, Kunstwerke, die sich wandeln und doch beständig sind und von jeder Generation neu gesehen werden. Die Gartenlust, so schrieb der belgische Fürst und Diplomat Charles de Ligne schon im achtzehnten Jahrhundert, sei die einzige Leidenschaft, die mit dem Alter zunehme. Wer ihr fröne, lege die weniger wünschenswerten Neigungen ab, »welche die Ruhe der Seele oder die Ordnung der Gesellschaft stören.« Schon die Jungfrau Maria saß im Rosenhag. Semiramis war Gärtnerin. Plinius liebte seine ländliche Villa und die vom Duft der Veilchen überströmte Terrasse. Andere geistliche und weltliche Herrschaften hatten Gärten angelegt, als noch kein Mensch an Briefmarken oder Fallerhäuschen dachte, und ihre segensreichen Erfahrungen weitergereicht.

Alte Gärten sind, wie alte Bäume, jungen an Üppigkeit und Würde naturgemäß überlegen, und es scheint nicht zufällig, dass auch zum Gärtnern eine gewisse Reife von Nutzen ist. Vita Sackville-West, die mit Ende dreißig einen landschaftlichen Slum aus Matsch und Nesseln, rostigen Blechbüchsen und einem zusammengebrochenen Plumpsklo in Englands wohl berühmteste Anlage verwandelte – Sissinghurst Garden – schreibt: »Ich bin erst ziemlich spät im Leben zum Gärtnern gekommen; ich muss schon zweiundzwanzig gewesen sein.« Sie war Mutter von zwei kleinen Söhnen, als sie auf Long Barn ihre erste Rose pflanzte, und ihre wilden Jahre lagen noch vor ihr, aber vielleicht fällt auch das unter englische Besonderheiten. Hierzulande beginnt das Zeitalter des Pflanzens für die meisten, wenn die Musik in den Lokalen als zu laut empfunden wird und kurz bevor Schüler in der Straßenbahn ihren Platz räumen. Wer sich aufs Gärtnern einlässt, kommt nicht ohne ein paar Tugenden aus, die erworben sein wollen und in der Jugend endemisch nicht vorkommen: Geduld, Weitsicht, Beharrlichkeit und Enttäuschungsresistenz … bitte, es gibt Ausnahmen.

Auf einer Reise zu den Zeugnissen dänischer Gartenkultur bin ich der fast neunzigjährigen

Tove Sylvest begegnet, die in ihrem Leben nicht einen, sondern sieben Gärten rund um ihr Reetdachhaus angelegt hatte und die meinte, nicht sterben zu dürfen, weil sich außer ihr niemand um »de 7 Haver« kümmern würde. Nicht sterben dürfen, weil es Wichtigeres zu tun gibt, kommt natürlich nicht nur bei Gärtnern vor. Aber Frau Sylvest ist mir Beweis genug, dass das Herumwerken an der frischen Luft, das Planen und Träumen Kopf und Körper lange gelenkig halten.

Der Gärtner ist Natur- und Kulturschaffender in einer Person. Bei Herren mittleren Alters finde ich diese Mischung, ihre handwerkliche Kompetenz, verbunden mit einer gewissen Art, Blätter anzufassen, unwiderstehlich. Ich spreche von Herren über Staudenrabatten, Knotenparterres und antike Eibenwälle, nicht von Männern, die vor ihrem Geräteschuppen grillen.

Bernard Boardman ist »Supervisor of the floral ornamental department« in Wisley, zwanzig Meilen südwestlich von London, einem hundert Jahre alten Garten der Royal Horticultural Society. Mr. Boardman, etwa halb so alt, lang und sehnig, grauäugig, graubärtig, mit gebückten Schultern und breiten Händen, trägt wie alle Gärtner in Wisley ein weinrotes Polohemd und einen breitkrempigen Strohhut, einen Deckel, unter dem er seine Gedanken für sich behält. Der siebenundneunzig Hektar große Garten ist berühmt für seine Sammlung von Rhododendren und Azaleen, Modellgärten aus vergangenen Chelsea Flower Shows und sechshundertsiebzig Apfelsorten. (»Die Dachse wissen es zu würdigen.«). Neu ist der Kräutergarten, ein von Hainbuchenhecken eingefasstes Rondell mit einem Wasserbecken als Mittelpunkt. Hier wachsen Pflanzen mit medizinischer, kosmetischer oder kulinarischer Wirkung. In einer Ecke, die mit einem Törchen verschlossen ist, tragen sie keine Beschilderung, aber natürlich kennt der Gärtner seine Kundschaft: *Aconitum napellus, Rhus verniciflua, Scutellaria lateriflora* ... Es ist die Gift-Ecke mit blauem Eisenhut, Sumach-Sträuchern, Helmkraut, Wolfsmilch, Nachtschatten, Liguster und Taxus. Hier werden keine Blätter mehr gestreichelt. »Sehen Sie die mit den auffälligen Blüten? *Ricinus communis*. Mit ihrer Hilfe wurde einmal in London ein rumänischer Diplomat ermordet. Auf offener Straße; mit einer Schirmspitze gestochen, die in das Gift der Samen getaucht war.« Er lächelt, als wolle er sagen: böses Geschöpf – aber attraktiv, nicht wahr? Ob er zu Hause selbst einen Garten habe, und was darin wachse? Der Schatten der Hutkrempe fällt über die Augen. »Viel Kies und Gräser«, sagt Mr. Boardman.

Ob Gärten Paare zusammen- oder auseinanderbringen, ist noch nicht geklärt. Offenbar muss es eine strikt getrennte Arbeitsteilung geben, oder einer der beiden gibt den Obergärtner, damit der Frieden im Grünen gewahrt werden kann. In dem erfolgreichen Gespann Vita Sackville-West und Harold Nicolson war sie für die Bepflanzung und er für die »Knochen«, das Gerüst aus Wegen, Sichtachsen und Mauern in Sissinghurst zuständig. Auch bei Malcolm und Phemie Rose im Süden Irlands, die zusammen die von salzigen Winden bestrichenen Kilravock Gardens an der Dunmanus Bay kultivieren, ist Phemie die Gärtnerin, die unter Glas delikate Cannas, südafrikanische Ziergräser und Proteen zieht, während der Bauunternehmer Malcolm für Palmen, Farne und siebzig Sorten *Sorbus* zuständig ist und an der Spitze des eistütenförmigen Grundstücks einen maurischen Turm, Bögen und Mauern um seinen »Mittelmeergarten« errichtet hat. Beider Freude ist jedoch, abends mit einem Glas Wein die Wege abzuschreiten und sich gemeinsam über besondere Gewächse zu beugen, wie etwa den australischen Grasfarn

Black Boy: Sieh mal, Schatz, mein *Xanthorrhoea preissii.* Ist er nicht unglaublich scharf?

Unerreicht, was die erotisierende Wirkung der Hortikultur betrifft, ist jedoch das Ehepaar Ian und Barbara Pollard in Malmesbury. Bei dieser Gartenreise hatte man uns auf eine gewisse Exzentrik vorbereitet, als wir uns Abbey House Gardens in den Cotswolds näherten: quirlende Handbewegungen neben der Schläfe und verschlucktes Lachen. »Sie werden ja sehen. Reiche Leute, ziemlich upper class.« Am Kassenhäuschen vor dem elisabethanischen Herrenhaus kaufte ich ein Foto der beiden, das sie nur mit Gartenhandschuhen und einem Spaten bekleidet zeigte: »The naked gardeners«. Tatsächlich trug Mr. Pollard beim Buchsbaumscheren einen Tangaslip und Stiefel; Mrs. Pollard beim Gartenrundgang Shorts und Netzhemd. Es herrschten gefühlte vierzehn Grad. »Excuse me, Madam … ist Ihnen eigentlich über-

haupt nicht kalt?« »Vielleicht ein bisschen«, lächelte Mrs. Pollard und kreuzte die blaugefrorenen Knie, »aber mein Anblick wärmt Ian das Herz.« Auf kalten Beinen und mit warmen Herzen auf dem Weg zurück ins Paradies. Haben Gärtner einen Knall? Ja, zum Glück.

Am besten im Südwesten

Britannien, du hast es einfach besser! Wer hier nach Gärten sucht, findet eine dicht gesprenkelte Landkarte vor, wie sie andernorts vielleicht auf ein besonders hohes Aufkommen an Autobahnraststätten schließen ließe. Am besten hat es der Südwesten getroffen, dieser Fuß, der sich in den Atlantik hinausstreckt und auf Spitze, Spann und Sohle Ortsnamen trägt, die ein bisschen nach König Artus und ein bisschen nach umtriebigen Trollen klingen: Tintinhull, Killerton, Chiffchaffs, Castle Drogo, Abbotsbury, Heligan, Trengwainton.

Zwischen schön gewellten Hügeln und alten Heckenwegen, an den vom Golfstrom beschmusten Küsten und sogar noch mitten im düsteren Dartmoor herrscht ein Klima, in dem vieles gedeiht, das nach einem deutschen Winter kein noch so grüner Daumen wieder aufrichten könnte. Es regnet, aber es friert nicht, wenigstens nicht in den geschützten Spalten und Nischen, und im von Atlantikwinden gebürsteten Cornwall, wo die

Gärtner einen dichten Schirm aus Bäumen und Sträuchern gepflanzt haben, damit ihnen die Scholle nicht davonfliegt, beginnt der Vorfrühling Ende Dezember. »Ich habe eine Ausrede gefunden, um dem Weihnachtsessen zu entfliehen«, schreibt der Obergärtner von Trengwainton. »Ich nehme stattdessen eine Blütenzählung vor, welche nie unter hundert Arten umfasst. Meine Kinder halten mich entweder für verrückt oder für einen Trauerkloß.«

In Trengwainton breiten exotische Baumfarne ihre Wedel über eine zurückhaltend gepflegte Wildnis; in Abbotsbury werden die strotzenden Kamelien mit der Kettensäge beschnitten; in Trebah hat der Rhododendron im Mai einen Auftritt in roten, gelben und lila Wolken; in Hestercombe, dessen Fülle Gertrude Jekyll, die große alte Dame unter den Gartenkomponisten, geschaffen hat, holt man sich einen leichten Farbrausch, in Tintinhull ein schweres Seerosenfieber, und in den Dörfern wallt die blaue Säckelblume mit einer Üppigkeit über die Mauern, nach der man sich zu Hause lange sehnen kann.

Pflanzen wie Kunstobjekte zu sammeln hat Tradition. Die großen Gärten mussten nicht nur die Häuser der Aristokratie mit Aprikosen und

Schnittblumen versorgen, sie waren auch deren Ruhmesblatt. Vom achtzehnten bis zu Beginn des zwanzigsten Jahrhunderts förderte der Adel die botanischen Expeditionen der Pflanzenjäger nach China, Nepal, Burma, Assam oder in die Neue Welt. Sie brachten Zimtahorn und duftende Azaleen, aufgeplusterten Rhododendron, Tulpenbaum und Mahonie, Feuerlilie und Victoria-Seerose mit; alles, was im nahezu subtropischen Klima des Südwestens gedieh. Nach dem Tee führte man den Gästen gern die kostbaren Schnäppchen vor: Mein Haus, mein Gainsborough, mein Garten, mein *Rhododendron sinogrande*. – Teuerster, ob Sie wohl einen Ableger davon entbehren könnten?

In Somerset, unter den Händen von Margery Fish, die 1937 mit ihrem Mann, einem Zeitungsverleger, von London nach East Lambrook Manor gezogen war, trieb die Mode der scheinbar ungezähmten Wuschigkeit, die wir heute mit der Vorstellung vom Cottage Garden verbinden, ihre ersten Blüten. Üblicherweise waren es ja Gentlemen-Sammler, die auf mehreren Quadratkilometern und mit Hilfe von zwanzig Gärtnern exotische Spezies hegten; hier zog nun eine Autodidaktin mit Eimer und Schäufelchen auf der Suche nach alten Gartenblumen durch die heimische Flora, pflegte und vermehrte, was sie erbeutet hatte. Mrs. Fish lud wilde Schlüsselblumen und Storchschnabel ein, sich zusammen mit Nelken, Lilien, Iris, Akelei und Buschmalven in ihren Rabatten auszutoben, ließ Rosen und Clematis in Apfelbäume klettern, und stiftete in Büchern und Radiosendungen die Engländer mit ihrer »Dschungelgärtnerei« an, sich des elitären Vergnügens zu bemächtigen und ihr eigenes überschaubares Eden zu pflanzen.

Gegärtnert haben die Briten schon, bevor Sir Walter Raleigh den ersten Sack Kartoffeln an die Küste des Königreichs geworfen hat, aber ihre Leidenschaft, anderer Leute Gartentörchen aufzuklinken und deren Prunk-Ranunkel anzuschauen, hat sich in einer demokratischen Gesellschaft entfaltet und erfreut sich heute als Freizeitvergnügen konkurrenzlos großer Beliebtheit.

Das Ende der herrschaftlichen Gärten kam mit dem Ersten Weltkrieg, als die jungen Männer nach Flandern zogen und die alten die riesigen Areale nicht mehr in Schuss halten konnten. Der viktorianische Garten von Heligan in Cornwall ging in dieser Zeit unter und wurde siebzig Jahre später vom Tim Smit, einem jungen Musikproduzenten, der mit Blumen eigentlich nichts am Hut hatte, ausgegraben. Die »Lost Gardens of Heligan« sind heute, wie das ebenfalls von ihm initiierte »Eden Project« bei St. Austell, das größte Gewächshaus der Welt, Touristenattraktionen, über deren Parkplätzen Abgaswolken wehen. Eden will zurückgeben, was es über die segensreiche Einwirkung der Pflanzen gelernt hat. Es fördert die Ausbildung von Häftlingen des Dartmoor-Gefängnisses zu Gärtnern.

In den wiederbelebten Gärten von Heligan reifen im wohligen, nur von Pferdemist aufgeheizten Klima einer gemauerten Grube wieder Ananas. Prince Charles soll sich bei einer Visite sehr angelegentlich nach der Menge der benötigten Pferdeäpfel erkundigt haben – als Herzog von Cornwall *und* bekennender Gärtner.

Die nackten Gärtner von Abbey House

Ein »naked chef« ist in England ein junger Mann, der ohne Firlefanz kocht; ein »naked gardener« ein Mensch, der, für sich allein, nur mit Arbeitshandschuhen und einem Spaten bekleidet in seinem Garten gräbt oder, wenn Fremde ihn besuchen, ein wenig Firlefanz trägt. So wie Mrs. Pollard an einem frischen englischen Septembertag. Groß und schlank mit hennaroter Mähne, tritt sie den Besuchern in knappen Shorts zu einem rotgelben Netzhemd mit passender Kette entgegen. An den Füßen Lackballerinas, um die Knöchel runtergerutschte gelbe Strickstulpen und an der Hüfte ein Lederholster für die Gartenschere. Ihre langen Fingernägel sind unterschiedlich bunt lackiert und die unwahrscheinlichsten Instrumente für jede Art von Arbeit.

Am Eingang des Gartens wird der Besucher auf eine gewisse Exzentrik bereits vorbereitet. Das Kassenhäuschen bietet neben Postkarten und Gartenführern zu Abbey House auch ein Photo des Ehepaars Pollard an, das beide in paradiesischem Zustand und neckischer Pose zeigt: »The naked gardeners«.

1994, als Ian und Barbara Pollard das elisabethanische Abbey House in Malmesbury in den Cotswolds kauften, sahen die Fingernägel und der zwanzigtausend Quadratmeter große Garten vermutlich noch anders aus. Ian, »der visionäre Architekt«, und sie, die »in einem Rosengarten aufgewachsen« war, zogen hier ihre drei Kinder groß und gaben, als diese aus dem Gröbsten heraus waren, ihrer Leidenschaft für die Hortikultur widerstandslos nach. Ein großmaßstäbliches Projekt: dreißigtausend Tulpen und Narzissen, zweitausend neue Rosen im Millenium-Jahr, ein Tal voll Rhododendren, ein gotischer Bogen zwischen viktorianischen Ziegelmauern, Teiche, Brunnen und Skulpturen, mehr Pflanzen als mancher botanische Garten. Über den Preis der Leidenschaft wird nicht gesprochen. Geld ist etwas, das man hat, auch wenn man keinen Faden auf dem Leib trägt.

Wenn Mrs. Pollard nun den Besuchergruppen vorantänzelt, beiläufig hier eine welke Blüte und dort ein dürres Zweiglein abknipst und mit knappen, aber damenhaften Gesten auf das keltische

Knotenparterre, die überbordende doppelte Staudenrabatte oder den Goldregen-Tunnel weist, dann erscheint es doch ein wenig märchenhaft, dass nur sie und Ian und ein Hilfsgärtner dies alles in zehn Jahren geschaffen haben sollen und so vorbildlich in Schwung halten.

Doch wie zur Bekräftigung tritt nun Mr. Pollard auf, ein Mann von leicht wikingerhaftem Äußeren, sandfarbene Haare und Bart, durchgängig gebräunt, in Stiefeln und Tanga und mit einem Holzbalken auf der Schulter in Richtung Kräutergarten stapfend. Warum soviel Luftigkeit bei nicht mehr sommerlichen Temperaturen, ist eine Frage, die nun doch an Mrs. Pollard gerichtet werden muss. »Mein Anblick wärmt Ians Herz«, sagt sie kalt lächelnd. Sie seien seit zwanzig Jahren zusammen, und es freue ihn noch immer, wenn sie sich für ihn schön mache. Dank dieses zwischenmenschlichen Wärmeaustauschs kann auf Jacken, Hosen und Strümpfe verzichtet werden. Etwas später sieht man Mr. Pollard im Knoten-Parterre die Buchsbaumpyramiden stutzen. Ein paar Meter weiter sitzen drei alte Damen auf einer Bank, beißen in ihre mitgebrachten Brote und beobachten mit leiser Unruhe, was da alles durchs Grün blitzt.

WHEN THERE IS GARDENING
TO BE DONE,
TWO HEADS ARE BETTER FAR
THEN ONE

Keine Irritation aber schmälert die beziehungsreiche Anlage, den guten Geschmack und überwältigenden Anblick des Gartens. Malmesbury Abbey, das Benediktinerkloster aus dem zwölften Jahrhundert, dessen Apsis früher über einem Teil des Gartens stand, ragt noch als turmhoher Mauerrest an seiner Grenze. Hart an der ehemaligen Außenwand, deren Kontur heute von Eibenhecken nachgezeichnet ist, fanden die Pollards 1996 einen mittelalterlichen Steinsarg mit den Gebeinen eines Mannes. »Vermutlich ein Abt«, sagt Mrs. Pollard. »Beachten Sie bitte das steinerne Kopfkissen.« Das alte Grab ist von Rosen umrankt, und dort, wo einmal die Marienkapelle stand, haben die Gärtner unzählige Hyazinthenzwiebeln gesteckt, damit der Heckenweg im Frühling von femininen Farben und himmlischen Düften erfüllt sei.

Das klösterliche Thema zieht sich durch den ganzen Garten, von dem großen Kopf eines Mönchs mit dunklen Augenhöhlen, den Ian in die Eiben geschnitten hat, zu den Fischteichen und dem runden Kräutergarten – »sein Chef d'œvre«, wie Barbara bescheiden anmerkt. Es ist als Rad angelegt, mit hundert Fuß Durchmesser und einem Wasserbecken als Nabe. Zwischen den Speichen wachsen eintausendzweihundert verschiedene Kräuter. Zur besseren Bearbeitung als Hochbeet angelegt – »so, wie die Mönche es auch gemacht hätten« – ist das Rad aus Eichenbalken gefügt und umgeben von einer runden Kolonnade, an der einhundertachtzig Obstgehölze – Äpfel, Birnen, Mispeln, Pfirsiche, Quitten und Trauben – als Spalier gezogen werden. »Ian denkt gern in großen Dimensionen.« Die roten Äpfel, die an einem nur fußhohen Geländer das Irisbeet umranken, wird er allerdings im Liegen ernten müssen. Auf so eine originelle Idee wären die Mönche vermutlich nicht gekommen.

Vom sonnigen Garten führt ein Serpentinenweg hinunter ins schattige Tal zum kleinen Fluss Inglebourne. Was wie ein wildes Wäldchen aussieht, ist planvoll gepflanzt: Haselbüsche, Rhododendren, Kamelien, Azaleen, Hortensien und Baumfarne; ein Wasserfall, ein aufgeschütteter »Kalvarienberg« für Ausblick und Meditation. Hier, in einer Untiefe des Flusses, liegt St. Aldhelm's Pool, in dem sich, so schreibt William of Malmesbury, Historiker und Bibliothekar des Klosters im elften Jahrhundert, der erste Abt der Bestrafung seines widersetzlichen Körpers unterzog, indem er die Nacht bis zu den Schultern im kalten Wasser verharrte – schadlos, wie Mrs. Pollard versichert. Das war um das Jahr 675.

Die Witterungsresistenz der Gärtner von Abbey House hat eine lange Tradition.

Die Namen der Rosen

Vor dreißig Jahren, als Stefanie Körner ein kleines Mädchen war, brachte ihre Mutter aus England das Virus mit, von dem sich das Landhaus Ettenbühl seither nicht wieder erholt hat. Diese »gartenwahnsinnige Mutter« begann ein Stück Wiese umzugraben und auf dem ehemaligen Aussiedlerhof im Markgräflerland alles zu kultivieren, »was englisch war«: alte Rosen und Rabatten im Cottagestil, Buchsbäume in Tiergestalt und Nachmittagstee mit Gurkensandwiches, Scones, Erdbeermarmelade und clotted cream – der doppeldicken englischen Sahne. Die durchgängig geblümten Zimmer im Gästeflügel, die »Crow's Nest« oder »Gardener's Retreat« heißen, übertreffen sogar noch jedes britische B & B, denn die

Bettdecken sind nicht festgezurrt und die Badezimmerarmaturen sofort durchschaubar.

Ihre Mutter, sagt Stefanie Körner, sei eine starke Persönlichkeit. Sie aber auch. Deshalb müsse zwischen ihnen hin und wieder die Chefinnenfrage über das Landhaus Ettenbühl, das sich mit Restaurant, Rosenversand und Gartenkursen vom Privatgarten zum Wirtschaftsunternehmen ausgewachsen hat, neu geklärt werden. Früher erwies sich die Tochter resistent gegen die Neigung, im englischen Rosengarten Unkraut zu jäten. Auf Dauer hat sie das Virus dann doch erwischt. Denn die Fernsehredakteurin Stefanie Körner, die »keine Rose von einem Usambaraveilchen unterscheiden« konnte, hat den englischen Gartendesigner und Rosenzüchter John Scarman geheiratet. Bei Rosemary Verey, der großen alten Dame unter den Gartendesignern, hat er gelernt und mit dem Rosenzüchter David Austin zusammengearbeitet. In Staffordshire gab es einen formalen Rosengarten und eine Rosenschule, die er mit seiner ersten Frau Teresa gegründet hatte. 1998 kam er nach Ettenbühl, um dort einen Rosenkurs zu geben. »Im Jahr darauf kehrte er zurück«, sagt Stefanie Körner, »und irgendwann ist er geblieben.« Inzwischen haben sie zwei kleine Söhne, und der Garten ist auf fünf Hektar angewachsen. Scarman hat neue Gartenräume und grüne Ringe um »Granny's Rosewalk« und die alten Lavendelrabatten gelegt, hohe Hecken, die die Abendsonne einfangen, schönlaubige Gehölze, ein Hainbuchen-Labyrinth, einen weißen »Wedding Garden«, in dem eine Trauerweide über den Tag hinausweist.

Heute macht Stefanie Körner keiner mehr eine Zentifolie für eine Moschata-Hybride vor. Auf den Gartenkursen übersetzt sie Scarmans lehrende Worte und leichte Scherze ins Deutsche. »Wir machen Infotainment im Doppelpack.« Eine der Lehren geht so: Es waren einmal zwei Rosenbeete; das eine wurde von einem Gärtner, das andere von einem ahnungslosen Mädchen mit Heckenschere bestellt. Beide trimmten ihre Rosen auf ihre Art. Welche sahen im Jahr darauf wohl besser aus? Na? Wir kommen darauf zurück.

Als Christoph Meckel über das Markgräflerland schrieb: »nichts außer dem Meer wird hier vermisst, und das Vorhandene ist in Fülle da«, hatte er vermutlich nicht an den Garten von Ettenbühl, sondern an die Vorzüge der Gegend am Fuß des Schwarzwalds gedacht, ihre menschenfreundlichen Proportionen, die von den fernen graublauen Vogesen gerahmt werden, die Rebhügel, Wälder und Kuhweiden, die würdigen Bauernhäuser, Obstspaliere und wirtlichen Platanen, unter denen man zum Gutedel wohlfeil Wurstsalat und Tellersülze mit Bratkartoffeln verzehrt.

Das im Ettenbühler Garten Vorhandene gibt es ja auch erst seit zehn Jahren, aber es üppt nun rosig über Mauern und Pergolen in Pink, Purpur und Rotweinrot, die Blüten geviertelt, gewirbelt und gefüllt oder offen wie ein unschuldiger Augenaufschlag, weiße Blütenblätter um ein Gekräusel goldener Staubfäden: Teehybride *White Wings*. Rosen füllen die Wipfel alter Kirschbäume und atmen unter der Sonne warme Düfte mit Noten von Apfelkuchen und Gewürznelken aus.

»Gerüche«, sagt John Scarman, »sind Auslöser von Erinnerungen und Gefühlen.« Eine seiner stärksten Kindheits-Eindrücke war der Garten seiner Großmutter, in dem es nach Rosmarin, Wacholder und Rosen geduftet hatte. Seine Rosen müssen zuverlässig und pflegeleicht sein, aber vor allem müssen sie duften, »bezaubernd« duften, Duftfallen für Besucher stellen, die nach Umrundung einer Hecke plötzlich eingehüllt werden: Ahhh! Was ist … ? Riech doch mal! An die dreihundert Sorten zieht er in Ettenbühl, jedes Jahr kommen neue hinzu.

Er wartet am Drehkreuz zum Garten und geht voraus, entlang der gemischten Rabatte voller Rittersporn und weißer Königskerzen, die von gewaltigen Tonnen aus Leyland-Zypressen gesäumt wird. Dahinter liegen zur Talseite ein Potager und ein Beerengärtchen, und noch weiter eine Mammutbaumallee, über die der Blick ins schön gewellte Tal geht. Zur Rechten brandet die Rabatte an ein Wäldchen mit Märchenwiese, auf der Hirsche aus Buchsbaum stehen, und an den Pfingstrosenweg, wo im Sommer ein nach Orangenlimonade duftender Bauernjasmin die Luftherrschaft über die Päonien angetreten hat. Mr. Scarman ist ein attraktiv verwitterter, schmaler Mann um die sechzig in kariertem Hemd und zwiegenähten Lederschuhen; die roten Griffe der Gartenschere ragen aus der Jeanstasche. Der Stimme hört man die Wohlgeborenheit an – sein Vater war Lordrichter und Mitglied des Oberhauses, seine Mutter in den dreißiger Jahren die Gesellschafterin der Orient- und Forschungsreisenden Freya Stark –, aber im Schuppen hängt ein besonders mitgenommenes Exemplar von Barbourjacke, und wenn Mr. Scarman seine Rosen okuliert, schnallt er sich für die Edelreiser eine abgeschnittene Plastikwasserflasche um die Wade, einen praktischen Behälter, den man im Angebot des Country Shops vergeblich suchen würde.

Rosenschnitt ist eine Art Religion, deren verschiedene Kirchen einander spinnefeind sind. Gegen den »Ketzer« John Scarman erhob sich vor zehn Jahren ein warnendes Geraune bei deutschen Züchtern und Verbänden: Wenn euch eure Rosen lieb sind, schützt sie vor diesem Mann! Denn Scarman lichtet die Sträucher nicht nach klassischer Manier aus. Er knipst auch nicht die Triebe einen halben Zentimeter über dem letzten nach außen weisenden Auge ab, sondern schnippt das ganze Gewusche zügig in eine gefällige Fasson. Die dünnen Zweige bleiben drinnen, um dem Busch Stand zu geben, und wohin das Rosenauge blickt, ist ihm egal. Inzwischen sieht man, was dabei herauskommt: eine Pracht.

»Die Schule der Heckenscherer kam und verschwand wieder«, grummelte ein Experte in der Zeitschrift *Gardeners World.* »Ich ziehe bei weitem die traditionelle bewährte Methode vor: fünfundzwanzig Zentimeter über dem Boden ...« In der Geschichte vom Gärtner und dem Mädchen siegt übrigens die Schnipplerin über den Traditionalisten.

Vielleicht sind Rosen einfach robuster und weniger nachtragend als ihre Gärtner. Sie blühen auch, wenn man sie vergisst oder vernachlässigt. Nur Sex mit Rosen ist ein Vorgang, der viel Zeit, Konzentration, Geduld und eine gewisse Ruchlosigkeit erfordert, gegen die der Züchter sein »Herz wappnen muss«. Es beginnt mit dem Entblättern der Blüte, dem Abschaben des Pollens und dem Einreiben fremden Blütenstaubs mit den Fingerspitzen auf den Stempel. Aus den Hagebutten werden Sämlinge gezogen. Es folgen Jahre unter Beobachtung im Freiland, die für viele Kandidaten damit enden, dass sie von Mr. Scarmans Doppeltgenähten in den Staub getreten werden. Diese weiße sah als Knospe noch perfekt aus, aber der Regen hat die Blüte übel befleckt. Eine schlechte Anlage. Weg mit ihr! Eine andere begann nach Marzipan zu riechen. Unfein!

Ja, muss es denn jedes Jahr vier, fünf neue Rosen aus dem Hause Scarman geben? Sind wir nicht schon mit Tausenden köstlicher alter Bourbon-, Alba-, Damascena- und Portland-Rosen bis zur babylonischen Verwirrung beschenkt? Ganz zu schweigen von dem Kroppzeug, das nicht duftet und wie aus Plastik gegossen dauerblüht? Schon, aber Rosen sind auch dem veränderten Klima und dem Ansturm neuer Krankheiten und Schädlinge unterworfen. Mr. Scarman ringt mit dem deutschen Wort »Zünsler«, einem geflügelten Feind, der in seinen Garten eingedrungen ist. Die alten, einmal blühenden Rosen widerstehen ihm, andere schwächeln, und wieder andere sind auf einmal nicht mehr gefragt, wie die pastellfarbenen mit den schweren, gefüllten Köpfen. Deshalb müssen neue, widerstandsfähige Sorten nachwachsen.

Einer neuen Rose einen Namen zu geben, ist eine große Ehre oder eine sehr teure Angelegenheit. Die meisten historischen Rosen hatten Glück mit ihren Paten. Gestalten, an die sich sonst niemand mehr erinnerte – etwa eine *Honourable Mrs. Cat* oder der *Commandant Beaurepaire* – haben sich damit unsterblich gemacht. Andere heißen, wie sie aussehen: *Veilchenblau*, *Blanchefleur* oder *Maiden's Blush*, aber wer möchte schon eine Rose im Garten haben, die *Leverkusen*, *Super Dorothy* oder *Chrysler Imperial* heißt? Warum nicht gleich *General Motors*?

John Scarman hat seinen Eltern je eine Rose gewidmet. *Lady Scarman* ist eine liebliche, weiße Moschata-Hybride und nahezu perfekt. Sie blüht lange, duftet fein und klettert üppig. Lord Scarman soll die seine, eine Gallica, sehr geschätzt haben; ihr Scharlachrot erinnerte ihn an seine frühere richterliche Amtsrobe. In anderen Fällen hat der Züchter auf die Kosenamen seiner Kinder zurückgegriffen. So erklimmt *Donna* zusammen mit *Nickleby* den Pavillon im Wassergarten, in dem sich Brautpaare gern fotografieren lassen, zwei weiße Rambler, die nacheinander blühen und blühen und blühen ... Und natürlich gibt es auch eine Rose für seine Frau Stefanie, die von kupferfarben zu pink wechselt.

Für Außenstehende kostet die Unsterblichkeit zwischen fünftausend und fünfzehntausend Euro, je nachdem, ob man nur ein nettes oder ein Röschen der Spitzenklasse wählt. Ein Elternpaar hat eine Rose nach seiner an Krebs gestorbenen kleinen Tochter genannt. Die Familie von Stauffenberg wird in Ettenbühl erwartet, um einer anderen den Namen Nina von Stauffenberg, der Witwe des Hitler-Attentäters, zu verleihen. Welche wird das

sein? »Kommt ganz drauf an, in welche sie sich verlieben«, sagt John Scarman diplomatisch. Er selbst, wohl zum hundertsten Mal nach seiner Lieblingsrose gefragt, nennt keine Namen. Wie könnte er eine Favoritin auszeichnen, ohne dreihundert andere zu kränken?

Wo der Riesenstinkkolben blüht

Wenn in einer Sommernacht alle Wasserkünste auf einmal schweigen, weiß man wieder, wo man ist: nicht verloren auf dem lichtlosen Land, sondern mitten in Frankfurt, umbraust vom Autoverkehr. Es ist ein trauliches Gefühl, zugleich im trivialen Gebrumm dieser Stadt und auf ihrer Insel der Seligen zu sitzen. Goethes Mutter hatte hier schon einen Apfelbaumhain. Sie pflanzte ihren Berlepsch dort, wo die Sonne abends am längsten hinscheint.

Der Palmengarten lebt von Bürgerstolz, Achtsamkeit und dem festlichen Willen aller Beteiligten, so zu tun, als sei hier immer Sonntag. Er ist ein echter Aufatmer; manchmal auch ein Aufkeucher, etwa im Frühling, wenn in der Wiese Hunderte von blauen Zwergiris mit gelben Zungen die Sonne auflecken.

Botanisch ist er tiptop; feuchte Tropen, trockene Tropen, Subantarktis, alles da und unter Glas, Wasserfälle, Seerosenteller, die ein Kind tragen können, ein Riesenstinkkolben in einer zarten

Plisseehülle, der alle paar Jahre sein Solo hat. Das menschlich Schräge trifft hier auf sein pflanzliches Gegenüber. In der Nebelwüste bin ich einem Hobby-Botaniker begegnet, der so in seine Welwitschias verliebt war – in ihrer Überlebensstrategie hochinteressante, gleichwohl potthässliche Geschöpfe – dass er schon von deren angeblich giftigem Gewebe gekostet hat. Er war wohlauf.

Es fehlt auch nicht an ulkigen Tieren: durchs Unterholz des Tropicariums stiebende Wachteln, eine chinesische Nachtigall im Nebelwald, Papageien in den Palmwipfeln, die eine Dichterlesung stören, herrliche Vögel, und das ganze wichtigtuende Geflügel draußen, Enten, Gänse, Perlhühner. Im Sommer sind Igel nach Einbruch der Dunkelheit unterwegs. Hunde nie!

Wann der Garten am schönsten ist? Im Juni, wenn ein blauer Schimmer von Schleierkraut, Natternkopf, Disteln und Skabiosen über der Steppe schwebt? Im Sommer, wenn die Musik spielt und Leute abends mit ihrem Bettzeug Richtung Liegewiese streben? Im Herbst, wenn ein quittengelber Tulpenbaum und eine Scharlacheiche nebeneinander lodern? Im Winter, wenn man die Tür zu den Mangroven hinter sich zuschlappen lässt? Am schönsten ist er, wenn er sich unbeobachtet glaubt. Mittags Probe der Kammeroper in der Orchestermuschel; *Figaros Hochzeit.* Der Dirigent in grüner Baseballkappe; die Gräfin Almaviva in Jeans singt unbeirrt gegen das stotternde Gehämmer des nie verstummenden Abriss- und Aufbauterrors in dieser Stadt an. Nachts dann auf der harten Bank in eine Decke gewickelt, lauschend, nur der Kopf und das Weinglas schauen heraus. Der Dirigent trägt feines Schwarz. Wie der Palmengarten zu dieser Stunde.

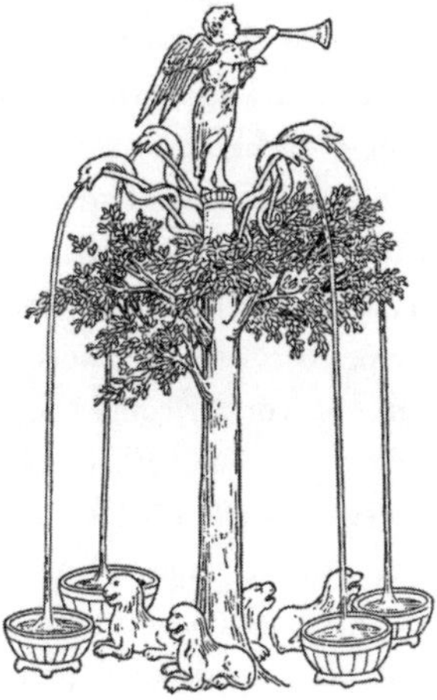

Was wollen die Bäume?

Es gibt einen Baum, vor dem der alte Dendrologe Heribert von Esebeck bei jedem seiner gehölzkundlichen Rundgänge den Hut zieht. Der höfliche Herr, vor siebenundneunzig Jahren als Freiherr in Königsberg geboren und »als Baumkundler kein unbeschriebenes Blatt«, führt regelmäßig Besucher durch das Frankfurter »Nizza« und der Baum, den er grüßt, ist eine einhundertsechzig Jahre alte *Parrotia persica*, ein in Ostasien heimischer Baum und seltener Gast, dessen Erscheinungsbild nicht vertrauter wird, wenn man weiß, daß er auf Deutsch Parrotie heißt. Das »Nizza«, 1858 als Park und Promenade dem Main abgewonnen, öffnet sich in sanftem Halbrund nach Süden, eine Nische für subtropische und mediterrane Gehölze. Vor der roten Ufermauer, auf deren Krone heute der Autoverkehr tobt, wachsen noch immer Feigen, Wollmispel, Granatapfel und Bitterorangen, Amber- und Blauglockenbaum und im Sommer Palmen und Bananen.

Den Auftritt der Parrotie kündigt der alte Herr

an, wenn er hinter dem Kaffeegarten in einen sonst eher unwürdigen Teil der Anlage abbiegt. Hier wird im Dunkeln gedealt, hier wachsen Disteln zwischen den Gehölzen, und auf dem Kiesweg, durch den das Gras dringt, liegen leere Chipstüten und ein zerbrochener Regenschirm, die Herr von Esebeck anklagend mit dem Gummipfropfen seines Gehstocks antupft. So eine Respektlosigkeit gegenüber der Natur gab es, als er seine Gärtnerlehre machte, nicht. Das war 1931. Doch Dreck beiseite, »jetzt werden Sie staunen!«

Die Parrotie links des Wegs erhebt sich nicht als einzelner Stamm, sondern strebt wie aus einem Korb sich windender, kreuzender Stämme auf Umwegen zum Licht und bildet mit einer etwas jüngeren Verwandten rechts des Wegs eine gewaltig hohe, dunkle Blätterhöhle. Ihr gefleckter Stamm ähnelt der Platane; ihr Laub zeigt die botanische Verwandtschaft mit der Zaubernuss, große, weiche, wechselständige, verkehrt eiförmige Blätter, die sich im Herbst goldgelb und scharlachrot färben. »In Persien liefert sie das rosenrote transkaukasische Eisenholz«, beschreibt von Esebeck neben ihrer Schönheit auch ihren Nutzen, ehe er seinen Panama wieder aufsetzt.

Mit einem alten Gärtner alte Bäume zu besichtigen, schärft die Wahrnehmung und die Verehrung gewachsener Hölzer jenseits ihres Brenn- und Nutzwerts, auch wenn nicht alle so begrüßenswert erscheinen wie das Laubgebirge der *Parrotia persica*. Doch selbst jene, die weniger gelungen ausgefallen sind wie die Peitschentanne, deren Äste wie die Arme eines traurigen Hungerkünstlers an ihrem Körperstamm herabhängen, genießen seine Sympathie. »Da kann er doch nichts dafür, der arme Baum!«

Als Gehölzkundler kennt von Esebeck in Frankfurt »jeden wichtigen Baum« und viele davon, wie die hochhausgroße *Metasequoia glyptostroboides* unfern der Untermainbrücke, die einen annährend tausendjährigen Eindruck macht, »als sie noch so klein war«, nämlich als Mammutbaum-Sämling im Jahr 1956. Manche Kinder wachsen nämlich unheimlich schnell. Andere benehmen sich daneben, wenn sie der Saft drückt, wie der Judasbaum – *Ceris siliquastrum*. Wird er scharf zurückgeschnitten, treibt er ohne Umweg über Äste und Zweige dicke Blütenpompons direkt aus der Rinde. »Cauliflorie«, sagt Herr von Esebeck, »wie Blumenkohl, nicht wahr?« Nur in Rosa.

Seit von Esebeck mit zwanzig Jahren der Deutschen Dendrologischen Gesellschaft beitrat,

»hängt« er an den Bäumen. Wie sich das anfühlt, muss er den Damen und Herren, die ihn durchs »Nizza« begleiten, nicht erklären, denn es sind dieselben Gründe, aus denen Menschen überall und seit Tausenden von Jahren Bäume hegen und wertschätzen. Ein gehölzkundlicher Rundgang klärt so nicht nur botanische Zugehörigkeiten, er führt die Teilnehmer auch – im Gehen philosophierend – vom Hölzchen aufs Stöckchen.

»Es sind alles lebendige Wesen«, sagt von Esebeck ohne Sentimentalität. Sollten Bäume neben dem vegetativen also auch ein geheimes Gefühls- und Seelenleben besitzen? Esoteriker zweifeln nicht daran. Nach einer speziellen Baum-Mythologie kann sich jeder Mensch einer Art wie einem Paten zuordnen, ihre Aura erfühlen, Zuspruch und Heilung von ihren Vertretern erfahren. »Bäume sind Heiligtümer«, schrieb Hermann Hesse. »Wer mit ihnen zu sprechen, wer ihnen zuzuhören weiß, der erfährt die Wahrheit.« Bäume predigten das Urgesetz des Lebens. Für Friedrich Hölderlin waren die Eichbäume – »jeder ein Gott, in freiem Bunde zusammen« – Metaphern für ein ideales zukünftiges Zusammenleben der Menschen. »Mein Freund, der Baum« sang Alexandra Ende der sechziger Jahre. Das Lied traf das aufkeimende grüne Gewissen und klingt noch immer als ein schlichtes, baumstarkes Fazit, auf das sich Naturschützer, esoterische Baumbelauscher und Dendrologen einigen können.

Tatsächlich stehen Bäume, wie alle Natur, menschlichen Wünschen und Bestrebungen komplett indifferent gegenüber. Keine Gerichtslinde will etwas erzählen, kein wirtlicher Feldahorn den Wanderer mit Schatten beschenken, keine Kastanie uns befreunden. Der Dank der amerikanischen *Sequoia* an die junge Frau, die monatelang in ihren Zweigen wohnte, um sie vor dem Kettensägenmassaker zu schützen, wird ausbleiben. Wir sind es, die etwas von den Bäumen wollen: Äpfel, Birnen, Nüsse, Zitronen, Oliven, Kakao, Kork, Zimt, Strychnin, Papier, Dielenbretter, Gartenmöbel, sauberes Wasser … aber auch Trost, Stärke, Schutz und Schatten, ästhetischen Genuss, Duft und Inspiration. Ohne Bäume könnten wir nicht einmal atmen. Sie waren lange vor uns da; schließlich sind wir von ihnen herabgestiegen.

Rechnerisch kommen auf dieser Erde fünfhundert Bäume auf einen Menschen; also ein kleiner Wald. Wie diese Ansammlung von Stämmen, Ästen, Borke, Zweigen und Blättern empfunden wird und ob sie wie der Ginkgo in Goethes Gedicht »geheimen Sinn zu kosten« geben, liegt ganz im Auge und am Vorhaben des Betrachters. Ein Sägereibesitzer sieht Bäume anders als ein Förster, ein Wanderer, ein Stadtplaner, ein Straßenkehrer, ein Baumchirurg, ein Arboretums-Besitzer, der exotische Exemplare sammelt, oder einer, der einen Platz sucht, wo er seine alte Waschmaschine abkippen kann. Vermutlich keine lebendigen Wesen, sondern nur wucherndes Kraut, das jedes Jahr denselben Ärger macht, sehen die Männer in den orangefarbenen Westen, die mit ihren Metzelmaschinen entlang der Bahntrassen und Autobahnen unterwegs sind und unterschiedslos die Sicht begradigen. So kommt Straßenbegleitgrün zustande.

Bäume werden von Kindern gebraucht, um Häuschen darin zu bauen und von Vögeln für ihre Nester, Waldränder von Imkern, um ihre Bienenkästen aufzustellen, Dickungen von Wildschweinen, die auch mal ihre Ruhe haben wollen. In der Stadt sind Bäume oft die einzigen Zeugen, dass sich in der Natur doch mehr ereignet als nur Wetter. Als Staubfänger gepflanzt, von Hunden angepinkelt, von Abgasen umwölkt und von Streusalz verätzt, sind sie vorbildliche Überlebenskünstler. Die ersten grünen Triebe an den gestutzten Platanen, die in der Fußgängerzone den Winter über als elefantöse graue Knochen in Reih und Glied standen, bezeugen, dass die Hoffnung nicht stirbt. Ihr sommerliches Laubdach ist Augenweide und Erfrischung. Es hält bis weit in den Herbst und amüsiert mit Früchten, die als braune, stachelige Kirschen an der stabilen Gestalt baumeln wie kleine Ohrgehänge an einer dicken Frau.

Bäume ragen am Beginn der Welt, nicht nur botanisch als Schuppen- und Siegelbäume im Karbon, sondern auch mythologisch als Baum der Erkenntnis im Paradies oder als immergrüne Esche Yggdrasil, die das Weltengebäude der nordischen Götter trug. Druiden pflanzten heilige Haine aus Ebereschen; Zeus wurde unter einer Pappel geboren; Buddha erfuhr Erleuchtung unter dem Bodhi-Baum (*Ficus religiosa*); Jesus zog mit einem Palmwedel in der Hand in Jerusalem ein. Der Rabe, den Noah nach der Sintflut ausschickte, kam mit einem Olivenzweig im Schnabel zurück. Der Baum war ein Zeichen der Rettung und Versöhnung, Stärke, Ausdauer und Erneuerung des Lebens. Luther hätte kurz vor dem nächsten Weltuntergang noch ein Pflanzloch ausgehoben.

Vielen Bäumen wird die Rolle als Hoffungsträger nachhaltig gedankt. In Jerusalem setzt man in der Holocaust-Gedenkstätte Yad Vashem in einer Allee der Gerechten Bäume für diejenigen, die ihr Leben für die Rettung der Juden während der Nazizeit einsetzten.

In Irland ist der Weißdorn ein Wunsch- und Kraftbaum. Wehe der Axt, die sich an seine Wurzel legt! Es gibt alte Weißdorne, an deren Zweigen Handschuhe und Kindersöckchen, Hosen und Hemden, ein bereits verwitterter BH und der Deckel einer Kaffeekanne mit Stoffstreifen festgebunden sind: Wünsche – welche Wünsche und an wen? Bei Beerdigungen werden auf dem Weg zum Friedhof Holzkreuze an den Weißdorn gelehnt. Rund um manche Stämme stehen sie in Schichten verschnürt übereinander. Der zähe Baum soll dem Verstorbenen seine Kraft leihen.

In Japan steigert sich die Wertschätzung der Kirschbäume zur Blütezeit zum rosafarbenen Rausch. Sein Fortschreiten von Süden nach Norden ist Gegenstand der Fernsehnachrichten. Familien und Belegschaften ziehen zum Picknick unter die Bäume. Den schönsten und verehrungswürdigsten von *Prunus serrulata* werden Lieder und Ständchen geboten wie einem Jubilar.

Es war eine »Mutter der Bäume«, die Kenianerin Wangari Maathai, die 2004 den Friedensnobelpreis erhielt, weil sie, Umweltschutz und Menschenrechte verbindend, seit dreißig Jahren Afrikanerinnen anstiftet, in den von Abholzung und Erosion verwüsteten Gebieten einen »Grüngürtel« aus fünfundzwanzig Millionen Bäumen zu pflanzen.

Der Achtung und Pflege von Freund Baum stehen niederschmetternde Waldschadensberichte gegenüber – in den nächsten zwanzig Jahren, so die Prognosen, werden rund vierzig Prozent aller bisher intakten Waldregionen verschwunden sein – und die fixe, ruchlose Verstümmelung und Beseitigung einzelner, oft sehr alter Bäume. Dass die böse Tat heute nicht mehr so einfach vollstreckt werden kann, liegt an einer unlängst erworbenen politischen Korrektheit und einem sehr viel älteren Gefühl für etwas Übergeordnetes, das wir den Bäumen zugestehen. Es ist der heidnische Verdacht, dass mit der Zerstörung der Außenwelt unsere innere Welt Schaden nehmen und dass der Verlust eines Baums mehr als den Tod einer »grünen Lunge« bedeuten könnte.

Ein ordentlicher Baum hat viele Nachkommen. Er wartet nicht, ob ein Haus gebaut und ein Sohn gezeugt wurden, bis er an der Reihe ist, gepflanzt zu werden. Er samt sich selber aus. Jeder Gärtner weiß, dass die mitteleuropäische Flora nur das eine

Ziel hat: jede Ritze zu besiedeln und alles so schnell wie möglich wieder in Wald zu verwandeln. Bei aller Liebe, aber diesen zarten Zweiblättrigen muss man im Interesse von Rosen, Stachelbeeren und Salat wehren. Sonst hat man bald eine Haselrabatte oder ein Holunderbeet. Und der Hollerbusch, das weiß nun jeder germanisch Vorgebildete, ist Sitz der Göttin Freya und darf bei Todesstrafe nicht umgehauen werden.

Ausgewachsene Wälder mögen in ihrer Unübersichtlichkeit eher eine Angelegenheit von Jägern und Holzfällern sein. Es ist die einzelne vertraute Baumgestalt, die dicke Linde, die Ulme und Kastanie im Park, an der Straße oder in der Feldflur, die wir nicht missen wollen. Eine Nachbarin legte der Esche in ihrem Vorgarten, der Bauarbeiter gerade den Garaus machten, indem sie ihr die Hälfte der Wurzeln durchhackten, die Hand auf den Stamm und sagte: »Entschuldigung, meine Liebe. Die Menschen verstehen dich nicht!« – und die Götter rächen dich nicht. Doch vielleicht fällt einmal ein Ast auf ein Autodach.

Was die Fülle der Bäume angeht, hat Amerika es besser als Europa. Durch den Nord-Süd-Verlauf seiner Gebirgsketten konnten die Arten vor der heranwalzenden Eiszeit nach Süden flüchten und danach wieder hinaufwandern. Bei uns legten sich die Alpen als Auswandererbremse quer. Die Folge: In Amerika sind rund achthundert Baumarten heimisch, davon allein siebzig Sorten Eichen (*Quercus*); diesseits der Alpen nur einundfünfzig Arten. Nach Stileiche, Traubeneiche und Roteiche ist unser ursprüngliches *Quercus*-Repertoire erschöpft.

Als Spezies bringt es der aus China stammende *Ginkgo biloba* auf über zweihundert Millionen Jahre. Einzelne werden, wenn man sie lässt, über viertausend Jahre alt wie die Grannenkiefern in den kalifornischen White Mountains; zweitausend Jahre wie Eibe oder Wacholder, eintausendachthundert wie der Mammutbaum. Die Rosskastanie macht dagegen schon nach einhundertfünfzig Jahren schlapp, die Pappel noch früher, und viele lässt man eben nicht, weil sie einer praktischen Begradigung im Weg stehen oder sich zu breit machen und sehr viel unerwünschtes Laub abwerfen. Alleebäume werden gestraft, weil sie angeblich zu schnell sind, Obstbäume in Monokultur, weil sie zu alt sind, Nussbäume auf Bauernhöfen werden geopfert, weil die neuen Landmaschinen nicht mehr drumherum rangieren können. Statt des Lindenbaums steht der Supermarkt vor dem Tore.

Baumschutzordnungen sind so elastisch wie Haselruten, und nicht jeder stirbt in Schönheit wie der Weihnachts- und der Maibaum. Erbarmen mit diesen Nadelhölzern, denen der Aussicht oder des nachbarlichen Friedens wegen das Lebendige aus der Mitte herausgehackt wurde! Konnte man denn ahnen, dass die Tännchen wachsen würden?

»Es wird viel zu schnell umgesägt und viel zu wenig erhalten«, sagt der Dendrologe von Esebeck. Bis sich eine Eiche vom Erscheinungsbild eines aufgepflanzten grünen Reiserbesens in einen ansehnlichen Baum verwandelt hat, dauert es fünfundzwanzig Jahre, eine Generation, bis sie blüht und fruchtet, fast vierzig Jahre. Antiquitäten kann man fälschen, aber keine alten Bäume. Das Argument mangelnder Standfestigkeit lässt von Esebeck nicht immer gelten. Wohl eher mangelnde Pflege. Schlecht ausgebildete Gärtner. Keine Kenntnis. Keine Zeit. Kein Blick. Vor allem kein liebender Blick.

Bäume haben Namen, Familie, Geschichte, Ansprüche. Man darf sie grüßen, sie besingen, den Hut vor ihnen lüpfen, sich um sie sorgen. Sie sind nötig und herzgewinnend und eigentlich ganz unkompliziert. Außer wachsen und grünen und unbelästigt alt werden wollen sie nichts. Nicht reden, nicht deuten, keine Wahrheiten enthüllen. Das erledigen die Menschen an ihrer Stelle. Sie haben sie zu ihrem Bilde gemacht.

Kein Märchen ohne Wald
Kein Paradies ohne Apfelbaum
Keine Kirmes ohne Linde
Kein Friedhof ohne Lebensbäume
Kein Leben ohne Bäume.

Wenn ich ein Schmetterling wäre, flöge ich auf dieses Blau

Fielding Lecky Watson auf Altamont in der irischen Grafschaft Carlow hatte fest mit einem Erben gerechnet. Als ihm zu seiner Überraschung eine Tochter geboren wurde, war er prompt um einen Namen verlegen. Sein schweifender Blick fiel auf den hellroten Rhododendron *Corona*, der im Frühling 1922 im Park von Altamont überschäumte, und da Mrs. Watson offenbar keinen Einspruch erhob, nahm er ihn zum Paten. Eine ausgezeichnete Wahl! Corona wurde eine Gärtnerin von flammender Energie. Sie rodete die verwilderte Anlage, pflanzte seltene Bäume, hob Teiche aus, versetzte Wasserfälle und vergaß darüber die Zeit. Ihr Mann, ein Mr. North, musste sie mit dem Waldhorn aus den Tiefen der Domäne zum Essen rufen.

Von ihrem Schlafzimmerfenster schoss Corona auf die Krähen und nachts am Fluss über die Köpfe der Wilddiebe, die ihren Lachsen nachstellten. »Sie war eine ausgezeichnete Schützin«, sagt Pauline Dawson, eine von fünfen, die heute den

Garten von Staats wegen in Schuss halten. »Schließlich war sie Offizier in der britischen Armee gewesen.«

Corona North ist 1999 gestorben, aber ihre große Gartenlust ist noch überall spürbar; in der Ordnung, die in Gestalt von Rabatten und einhundertfünfzig Jahre alten dicken Eiben-Zapfen vom Haus bis zum Seerosenteich reicht, und in der lockeren Hand darüber hinaus. Man wandert glücklich und neidlos darin herum, denn man wird dergleichen nie besitzen: Schmetterlingsauen, moosige Waldschlucht, Hasenglöckchenwiese am River Slaney und ein »Sonnenuntergangsfeld« mit Blick bis zu den Blackstairs Mountains, die gerade von einer grauen Wolke abgestaubt werden. Schafe haben sich in dem Rundtempel auf seiner Höhe niedergelassen.

Unter einer Sumpfzypresse steht die Steinbank, von der die Gärtnerin die Schwäne auf dem See betrachtete, die altersgrauen Statuen und die Bäume, die sich darin spiegeln: Magnolien, Rhododendron, Sequoia, Taschentuchbaum, Tulpenbaum, chilenischer Flammenbaum. An den Resten einer Klostermauer im Schutz einer farnblättrigen Buche sind ihre Hunde begraben: »Coronas geliebter Buster …«

Altamont liegt dort, wo Irland am weichsten ist, im Südosten. Der Golfstrom wärmt; einmal am Tag regnet es. Vom Frost bleibt man weitgehend verschont. Der Boden ist satt, grün und angenehm gewellt, die Bäume sind ergreifend alt und gewaltig. Es heißt, hier wachse alles ein Drittel höher als in England, und hinterm Gartenzaun sieht es auch oft ein bisschen strubbeliger aus. Strauchpäonien sind Pfingstrosen an Sträuchern und keine Blumen auf holzigen Stängeln; *Ceanothus*, die Säckelblume, die zu Hause scherzeshalber ein paar Pompons treibt, bedeckt die Mauern mit aufgeschüttelten himmelblauen Plumeaus.

Altamont ist einer dieser Herrensitze, wie sie überall in Irland auf dem Land zu finden sind, manchmal in etwas mürbem Zustand, oft in überhaupt keinem Zustand mehr; Häuser protestantischer Familien, die Jahrhunderte lang in feudaler Apartheid auf Kosten der katholischen Iren gelebt hatten, und die, nachdem ihr Besitz im Unabhängigkeitskrieg abgebrannt war, die Insel in großer Zahl verließen. Doch gerade dank der ergaunerten Privilegien erheben sich hier noch so viele elegante Erscheinungen; verschwenderisch große Häuser, nutzlos schöne Gärten, Wasserkünste, Heckentheater, Spielwiesen, Alleen, deren

Buchen nicht als Furnierholz gepflanzt worden sind.

Das Haus von Corona North blieb vom Feuer verschont, weil die Familie in guter Nachbarschaft mit ihren Pächtern gelebt hatte. Eine Glyzinie verhängt den bröckelnden Putz; Efeu hat sich durchs Dach in die Nebengebäude geschlichen. Anders als viele Herrenhäuser, die zugeknöpft und panzerkreuzergrau aus ihrem Kiesbett ragen, sitzt Altamont in seinem Garten wie eine Tasse in der Untertasse. Nur Mrs. Norths irische Wolfshunde liegen nicht mehr auf den Eingangsstufen.

Wie schnell ein Garten ohne seinen Gärtner sterben kann, zeigt Woodstock bei Inistioge. Auch dies war ein Landsitz in einem berühmten Garten, aber das Haus ist seit neunzig Jahren Ruine, und dort, wo die Parterres voller Rosen und Buchsbaumschnörkel lagen, breiten sich leere, versunkene Rasenflächen aus. Als die Grafschaft Kilkenny vor zehn Jahren begann, Woodstock freizulegen, war der Garten bis zur Unkenntlichkeit zugekrautet.

An seiner Mauer fand man die Fundamente der Gewächshäuser, in denen Trauben und Ananas gereift waren. Auch die Alleen standen bis zu den Knien im aufgeschossenen Wald. Wer sie vor einhundertfünfzig Jahren gepflanzt hatte, durfte kaum hoffen, damit Eindruck zu schinden. Inzwischen haben die Araukarien mit ihren dunklen Krakenköpfen und geschuppten Schlangenzweigen ihre Rolle als artige Spalierbäume ausgespielt und überragen wie prähistorische Gestalten, die aus einem botanischen Jurassic Park entwichen sind, die Neuanpflanzungen.

Wenn am Ende alle ausgeflogen sind, ist der Garten immer noch da. Ballon Garden in der Grafschaft Carlow ist keine wunderprächtige Anlage, in der das Waldhorn ruft, aber das Reich einer Frau, die alle ihre Möglichkeiten genutzt hat. Anastasia O'Neill ist über siebzig, mit einem welken, zarten Gesicht wie ein Winterapfel, lächelnden blauen Augen und einer grauen Mädchenfrisur, die von einem Haarreif hinter den Ohren festgehalten wird. Elf Kinder hat sie großgezogen, und der einzige Weg aus dem Getümmel in dem kleinen Haus führte bis zum Zaun. »Keins von ihnen kann eine Lilie von einer Butterblume unterscheiden«, sagt sie. »Gekocht habe ich, ja.« Und der Rest? »Blieb liegen.« Es gab immer Interessanteres zu tun. So wurde Mrs. O'Neill eine »plants woman«, eine Expertin in Sachen Hortikultur.

Um den alten Apfelbaumhain pflanzte sie weiträumig einen Schirm aus Pinien, Koniferen und buschigem Ahorn, denn über das flache Ackerland, aus dem ihr Garten herausgeschnitten ist, pfeift der Wind. Dann folgte die große Rabatte: Flieder, Eisenhut, Farn, Storchenschnabel, Pechnelken und Salomonsiegel in bunten Wellen; überall Akelei, die sich ungeniert selbst aussät. »Ich habe gelernt, nichts zu erzwingen.« Alstroemeria Hybriden wollen nicht bei ihr bleiben; Iris auch nicht. Dem Rhododendron ist der Boden zu kalkhaltig, den Rosen zieht es. Sie nimmt es nicht persönlich. Ihr Sohn, der die Farm bewirtschaftet, mäht das Gras, Anastasias Mann Morris – fünfundachtzig Jahre alt – schneidet den Buchs zu Burgzinnen. Aber in die Rabatte steigt ihr niemand. Auf Zehenspitzen durch die Tulpen; ohne Hacke. »Sie ist den ganzen

Tag am Jäten«, grummelt Mr. O'Neill. »Der Garten ist alles. Ich habe keine Ahnung, warum sie mich geheiratet hat.«

Der Garten als Ort gedankenfernen Wühlens kann sehr beruhigen. Dazu muss kein Kies in Furchen gezogen werden; große Steine stemmen tut es auch. Ein Nachbar, der Lolo Stevens beim Aufsetzen der Granitmauer von Ram House zuschaute, meinte, sie arbeite nicht nur wie ein Pferd, sie sähe auch aus wie ein Grubenpony: in Gummistiefeln und ledernen Knieschonern. In Coolgreany geht so etwas als Kompliment durch, und dass sie klein sei, aber mit siebzig auch stark, behände und unermüdlich, hört sie gern. Außerdem: »Wenn man kurz ist, muss man sich nicht so tief bücken.« Lolo Stevens – kurze weiße Locken, dunkle Augen – wurde in Buenos Aires geboren und wuchs als Diplomatentochter in einem englischen Garten auf. Sie lacht viel; aber es ist das Lachen der Schüchternen, und wo andere Gärtner ihre Pflanzen wie stolze Eltern ihre gelungenen Kinder vorstellen – beim botanischen Namen, versteht sich –, eilt sie schweigend über ihre Scholle, die zweimal als die schönste im County Wexford ausgezeichnet wurde, als könne sie die Besucher nicht schnell genug abhängen.

Als sie und Mr. Stevens (»Geh und such dir einen netten Iren!«, hatte ihre Mutter geraten) Ram House vor über dreißig Jahren kauften, stand es leer. 1925 hatte die IRA das Haus aus dem siebzehnten Jahrhundert abgefackelt. Wieder aufgebaut, diente es als Polizeistation. Einer der Constabler versuchte es mit Gemüseanbau. Er kassierte eine Fuhre Mist für jeden Strafzettel, aber als die Stevens einzogen, lag vor der Tür nur noch ein verfilztes Rosenrondell. »Daraus ist ein englischer Garten mit irischen Pflanzen geworden.« Was ist das? Eine Anlage, deren strenge Knochen unter einer Fülle von Blüten und Blättern verschwinden; keine ausgetüftelten Rabatten, sondern eine sorglose Versammlung alter Lieblinge, verbunden von Hecken und Pergolen, über die siebzig Sorten Clematis wallen. Getrimmter *Cotoneaster*, der sonst gern als unsterbliches Straßenbegleitgrün auffällt, säumt steinerne Setzstufen. Akelei und gelber Mohn dürfen sich breit machen, solange sie nicht die Kieswege unterwandern. Ein hellblauer Verwandter des wilden Lerchensporns sprießt in zierlichen kalten Flämmchen am Bach. Früher hat Lolo Stevens in der alten Remise auch Tee gekocht und enorme Torten gebacken (»Tipsy Brazilian«, »Black Velvet«, »Russian Roulette«), aber dann wurde ihr Mann krank, und es blieb nur der Garten als »ein großer Trost.«

Sieht ein Frauengarten anders aus, als ein Männergarten? Würden Frauen Kanonen aufstellen? Männer einen Froschkönig? Knockanree bei Avoca ist Männerdomäne. Harold Clarke, der bis zu seiner Pensionierung Präsident von Irlands größter Buchhandelskette war, hatte das Hanggrundstück wegen des Bachs gekauft, der an seinem Fuß entlanggluckert. Er staute ihn, pflanzte Schwertlilien und Gunnera und schlug eine lackrote chinesische Brücke darüber. Dies getan, konnte er sich ganz seinen dendrologischen Ausschweifungen hingeben: Bäume, Bäume, Bäume, dazwischen Farn und großmächtige Steine, ein Hünengrab wie für einen keltischen Häuptling, auf einer Lichtung ein runder Mondstein; am schattigen Pfad drei indische Elefanten. Äste wischen über den Kopf. Hier kann man nur hintereinander gehen. Knockanree hat ein Mann angelegt, dem seine Pflanzen Gesellschaft genug sind.

In einem fernöstlichen Hain am Wasser lagert ein Findling, in den Mr. Clarke die ersten Zeilen von Thomas Moores Lied *The Meeting of the Waters* einmetzen lassen wollte, aber der japanische Kalligraph bedeutete ihm, dies sei in einem Zen-Garten gänzlich unerwünscht. Stattdessen grub er die Kanji-Symbole für Schnee, Mond und Blume ein. Drumherum recht der Herr der Bäume stillschweigend seinen Kies. Ob der Mammutbaum nicht doch ein wenig dicht am Weg gepflanzt sei? »Darum sollen sich diejenigen kümmern, die nach mir kommen,« sagt Harold Clarke und lächelt weise.

»Besitz hat eine spirituelle Seite«, schrieb die irische Autorin Elizabeth Bowen. Ein alter Garten in Vollendung wie Mount Usher ist ein Besitz, der stille Ekstase ausstrahlt. Madelaine Jay ist über achtzig und spaziert nur noch schwelgend hindurch, ihren Jack Russell Terrier im Gefolge. Ihr Obergärtner Sean Heffernan ist halb so alt, ein glühender Mensch mit Nickelbrille und Schirmkappe. Selbst strömender Regen scheint an ihm abzuprallen und zu verdampfen – ein Nachfolger der enthusiastischen Herren, die Mount Usher Ende des neunzehnten Jahrhunderts im Stil von William Robinson anlegten. Der irische Gartengestalter war der Erfinder eines natürlichen, leicht ungekämmten Looks, hinter dem sich ein raffinierter Schnitt verbarg. Nach Robinson war Schluss mit »ausgestickten« viktorianischen Rabatten und buntem Kies. Der Garten an den Ufern des Vartry öffnete romantische Ausblicke über Brückengeländer und durch Palmenalleen. In seinen lichten Hainen wogen im Frühling die Narzissen.

Als eine Erfindung passionierter Pflanzensammler steckt er voll botanischer Kostbarkeiten, und Heffernan ist weiter auf Wunder gefasst. »Ich sage Hallo!, wenn ich etwas Neues entdecke.« Sein Stolz sind die »Champions« von Mount Usher, Rekordbäume, wie die verschiedenen Spezies von *Nothofagus* – Südbuchen aus Chile und Neuseeland –, das Nadelgebirge der hundertjährigen

Montezuma-Kiefer oder die edlen, hellgrauen Eukalyptusbäume, deren Nachkommenschaft er seine Babys nennt. Sind die Azaleen nicht »outrageous« – unerhört – in ihrem Zusammenspiel von Himbeerrot, Violett und Orange? Dazu etwas weinroter *Acer palmatum* im Hintergrund! »I love it! – Die gelbe hier sollten Sie an einem warmen Sommerabend riechen! Trunken!«

Jenseits der Brücke üppt der Rhododendron. *King George* heißt die Sorte, wie der vierte von England, der auch so prächtig aufgerüscht Weiß und Rosa daherkam. »Aber«, sagt der Obergärtner, »der Blaue dort drüben ist meine Lieblingssorte. Wenn ich ein Schmetterling wäre, flöge ich auf dieses Blau!«

Wer sagt denn, dass man einen Garten besitzen muss, um sich in Irland einen floralen Rausch zu holen?

Floraler Adel und Froufrou

Die Nonnen hatten am Pförtnerhaus von Annes Grove ordnungsgemäß ihre sechs Euro Eintritt bezahlt und waren das Stückchen durch den Wald zum Herrenhaus und weiter in den Garten gegangen. Vielleicht standen Azaleen und Rhododendren gerade in voller Blüte, ein Froufrou aus Orange und Gelb, Lila, Rosa, Rot und Blau, das Patrick Annesley, der Besitzer von Annes Grove, auch seine Chorus Girls nennt. Ihre frivole Erscheinung war ein Schock für die Nonnen und setzte mindestens zwei der zehn Gebote außer Kraft. Sie begehrten plötzlich etwas, das Mr. Annesleys war. Im ummauerten Staudengarten nickten Pfingstrosen und Akelei, im Flussgarten schwebten die Etagenprimeln wie brennende Flocken im durchsonnten Grün. Der chilenische Flammenbaum loderte ihnen entgegen, der Taschentuchbaum winkte mit seinen weißen Zipfelblüten, und als sie aus dem Kirschlorbeerwäldchen traten und zum Ausgang strebten, stand dort Mr. Annesley, der ihnen alles wieder abnahm, was sie gepflückt und ausgegraben hatten.

Mr. Annesley mit seiner Brille, dem einwärts gedrehten Gang und der leisen Stimme, die sich der knarrenden Laute von County Cork enthält, macht auf den ersten Blick einen eher schüchternen Eindruck, aber er wird wie jeder Gärtner zum Zerberus, sollte jemand wagen, sich an seinen Pflanzen zu vergreifen. Annes Grove bei Castletownroche ist eine der bezauberndsten Anlagen im Südwesten Irlands, einer pittoresken Gegend, die vom Klima gesegnet, aber mit den denkbar dümmsten Vorgärten geschlagen ist: ein Stück Teer für das Auto und ein Stück Gras – wofür? Darauf vielleicht ein Formgehölz, an dem sich Männer mit Scherenhänden zu schaffen gemacht haben. Kein Wunder, dass sich die Nonnen wie im Himmel befanden. Denn in Annes Grove sind göttliche Natur und menschlicher Wille, bunte Wuschigkeit und strenge Ordnung nebeneinander verwurzelt, oder, um es mit dem Dichter Christoph Martin Wieland zu sagen, hier ist ein Ort »wo ernstes Denken oft mit leichtem Scherz sich gattet«.

Das rührt einmal daher, dass sich die Nachkommen des ersten Grafen Annesley im achtzehnten

Jahrhundert einen Garten leisten konnten und im neunzehnten, als Irland von der Kartoffelpest verwüstet wurde, nicht zu den Ärmsten gehörten, die, statt für Geld, für einen Teller Suppe Mauern um diese Gärten zogen. Es rührt auch daher, dass Patrick Annesleys Großvater zu Beginn des zwanzigsten Jahrhunderts eine Expedition mitfinanzierte, die in Tibet und Nepal Pflanzen »jagte«. Einige der Rhododendren und Magnolien wurden aus den erbeuteten Samen gezogen. Sie sind erkennbar keine floralen Sozialfälle, sondern alter botanischer Adel. Einer *Magnolia wilsonii*, die sich ins Unterholz drückt und ihre Blüten gesenkt trägt, kann sich der Betrachter nur in der Lage nähern, in der er den Unterboden eines Autos inspizieren würde, es sei denn, Mr. Annesley umfasste die sahneweiße Glocke mit dem dunklen Knopfauge und drehte sie sanft wie ein Kindergesicht zum Licht. »Praktisch in Irland«, sagt er, »es regnet nicht rein.« Über Leute, die ihre Nase in den aufgeplusterten Rhododendron stecken, kann er nur lächeln. »Sie glauben, groß, rosa und parfümiert gehörten zusammen, wie bei einer amerikanischen Witwe.« Den Duft, den sie suchen, verströmt jedoch *Lady Chamberlain* aus dezent orangefarbenen Kelchen und erst im Verblühen. Sie steht hinter den Chorus Girls.

Leichter Scherz gedeiht bevorzugt an Orten, deren Besitzer sich der neidischen Blicke weniger begünstigter Schreber sicher sein können. Die große Gärtnerin Vita Sackville-West wollte einen halben Hektar Inkalilien anpflanzen, »und sei es nur, um die Vorübergehenden aufkeuchen zu hören.« Atemberaubend schön ist auch der halb gezähmte Flussgarten von Annes Grove mit dem schnell strömenden Awbeg, in dem Bachforellen, Fischotter und Flusskrebse leben. Er blitzt nur unter den grünen Sonnenschirmen der Gunnera hervor, aber sein verlockendes Rauschen ist im ganzen Garten zu hören. Mr. Annesley nimmt das Aufkeuchen mit routinierter Bescheidenheit zur Kenntnis. »Kommen Sie im Januar wieder, wenn alles kahl und stumpf ist«, sagt er, der mit Frauen im Garten keine guten Erfahrungen gemacht hat. »Männer haben Spaten, Frauen Scheren.« Deshalb behält er auch die im Auge, die unbewaffnet über seine Domäne schweifen. In weiten Ärmeln kann so manches verschwinden.

»Gärten haben etwas an sich, das in den besten und mildesten von uns einen besitzgierigen Zug zum Vorschein bringt«, schreibt der englische

Autor und Gärtner Reginald Arkell. Das gilt gleichermaßen für die Einsacker wie für die schöpferisch Tätigen. Nur unter Beachtung strenger Apartheid scheint es möglich, im Grünen Frieden zu wahren.

Auch für Brian Cross ist der Garten Männersache und die Aufteilung des seinen – fünfundneunzig Prozent für ihn, fünf für seine Frau Rose – dem Wesen der Ehe angemessen. In Lakemount, einer ehemaligen Obstfarm, hat er mit zehn Jahren sein erstes Samentütchen ausgestreut. Seitdem ist der Garten mit den fernöstlichen Zitaten immer eleganter geworden: geschwungene Rabatten voller Azaleen und sonnengefleckte Durchblicke auf gigantische japanische Vasen unter dem geschlitzten Fächerahorn. Um den Eindruck manikürter Perfektion zu mildern, darf hier und da das Gras hoch stehen oder eine Clematis ein aus den Angeln geratenes Gartentor umschlingen.

Keine Rosen? »Ich bin die einzige Rose, die Brian liebt«, sagt Mrs. Cross. In Rosemount, ihrer von Buchs abgetrennten Ecke, darf sie nach Belieben Goldlack, Iris, Fingerhut, Papageientulpen und Akelei hegen. Es ist eine bunte Gesellschaft alter Bauerngarten-Lieblinge, nicht halb so raffiniert wie die übrigen fünfundneunzig Prozent, aber für Amateurgärtner Balsam aufs Gemüt, da Rosemount sie ein wenig an das eigene enthusiastische Gestümper zu Hause erinnert.

Doch auch in Lakemount hebt eine Schlange ihr Haupt. Der eiserne Gartentisch, auf dem Mrs. Cross ihren Gästen den Tee serviert, ist mit einer Kette zwischen den Platten verankert. »Sie ahnen nicht, was heutzutage in Irland alles geklaut wird: Pflanzen, Kübel, Gartenbänke, einfach alles! Gerade stand der Fall einer Dame in der Zeitung, die die Asche ihres Bruders im Blumenkasten auf der Fensterbank beerdigt hatte. Der Kasten wurde gestohlen. Was sind das nur für Menschen! Andererseits: ein eigenartiger Ort für den Bruder, nicht wahr?«

Der sicherste Platz für Gärtner scheint daher eine Insel zu sein. Das wird auch Annan Bryce gedacht haben, als er 1910 Garinish Island in der Bucht von Bantry kaufte. Sie ist wie das übrige Gestreusel vor der Küste ein mit Ginster und Heide bewachsener Felsbuckel, fünfzehn Hektar groß, auf dessen höchstem Punkt ein Martello Tower steht, der seine Kanone gen Frankreich gerichtet hatte. Der Nordire Bryce, Abgeordneter im englischen Parlament, beauftragte in einer Zeit, als romantische Wildnis in Mode war, den Architekten Harold Peto mit dem Entwurf eines formalen italienischen Gartens und einer prachtvollen Villa auf der Insel. Glücklicherweise begann er mit dem Garten und nicht mit dem Haus. Er ließ Bootsladungen voll Erde hinüberbringen und pflanzte einen Baumgürtel gegen die atlantischen Winde, denn als er 1917 Bankrott ging, hatten seine teuren subtropischen Gehölze schon Wurzeln geschlagen. Mr. Bryces Baupläne sahen hingegen nur noch ein Cottage mit zwei Zimmern vor.

Heute beschirmen hohe Bäume die Sichtachse vom Aussichtstempel auf der Klippe zum Tower am anderen Inselende. Um den von chinesischen Löwen bewachten italienischen Garten mit Wasserbecken, Teehaus, Treppen und Kolonnaden brandet die Wildnis und verbindet formelles und romantisches Gleichmaß. Mittendrin liegt ein *Hortus conclusus*, der Farbe, Wärme und Duft einschließt: Mohn und Rittersporn in den Rabatten, Kletterrosen und Clematis, die ihre Blütenteppiche über die grauen Mauern geworfen haben.

Vor zweihundert Jahren dienten Gartenmauern eher dazu, Kühe, Kaninchen und Apfeldiebe fernzuhalten und dem Aprikosenspalier den Rücken zu wärmen. Es waren riesige Areale, die sie begrenzten, meist ein gutes Stück vom Haupthaus entfernt gelegen, um den Herrschaften den Blick auf Kohlköpfe und Bohnenstangen zu ersparen. Große Familien mit vielen Gästen und Hausleuten zehrten von den Potagers zu einer Zeit, als es im März noch keine Erdbeeren aus Spanien gab und man im Winter ans Eingemachte ging. Heute sind die »walled gardens« der Stolz der Erben. Auf Longueville House bei Mallow etwa zieht der Eigentümer und Küchenchef William O'Callaghan auf zweieinhalb Hektar Gemüse, Kräuter und Früchte, die er im Herrenhaus seinen Gästen in Form von grünem Spargel mit Kerbelöl, Muscheln mit Artischocken und Bärlauch-Pesto oder Apfelkuchen mit Walnüssen und Apfelbrandy zum Dinner servieren lässt. Außerhalb der Mauern kultiviert sein Vater den einzigen Weinberg in Irland, der von einem Wall aus Nadelbäumen vor dem kalten Wind geschützt wird. (Die Ergebnisse stehen allerdings nicht auf der Karte des noblen Restaurants).

Die Familie Shelswell-White auf Bantry House hat ihren ummauerten Garten hingegen auf- und abgegeben. Das Haus, das der zweite Graf von Bantry 1740 nach seiner Grand Tour durch Italien im Stil eines roten Palazzo bauen ließ, liegt auf einer dritten Terrasse über der Bay. Seine hohen Räume zum Meer hinaus sind auch an verhangenen Tagen von einem perlmuttfarbenen Licht erfüllt, das die Grenzen zwischen Wasser, Bergen und Himmel verwischt. Hinter dem Haus steigt der alte Garten noch einmal hundert Stufen und sieben Etagen weiter den Hang hinauf. Obergärtner John Albhow, ein junger Waliser mit Bergsteigerwaden und Erde unter den Fingernägeln, hat in der Tasche seiner Shorts eine Schere stecken, denn im Golfstromklima wachsen die Pflanzen schnell und üppig, und der Buchs braucht alle paar Wochen einen Haarschnitt.

In den neunziger Jahren hatte Bantry House viel von seinem Glanz und der Garten einiges von seiner Fasson verloren, aber dank einer finanziellen EU-Beihilfe umschnörkelt der frisch restaurierte Buchs wieder das große ovale, blauschäumende Glyzinienspalier mit dem Brunnen aus Steinbrocken und Schneckenhäusern in seiner Mitte. Für den ummauerten Garten auf der Höhe hat das Geld jedoch nicht mehr gereicht. Also öffneten die Shelswell-Whites allen Bürgern von Bantry, die gerne in der Erde wühlen, aber keinen eigenen Garten besitzen, das brachliegende Gelände hinter dem Torbogen. Es gibt hier keine Zäune und nicht die Spur hortikultureller Raffinesse. In den nebeneinanderliegenden Beeten haben Schulkinder Erbsen und Reiser zum Ranken in den Boden gesteckt. Daneben sieht es nach

Porree und Kapuzinerkresse aus. Am Ende des Karrees rammt eine junge Frau im langen Sommerrock ihren Stiefel auf ein Spatenblatt und wendet braune Schollen guter alter satter Gartenerde um. Was soll hier wachsen? Kartoffeln. Was denn sonst in Irland?

»Bitte rühren Sie die Pflanzen!«

Der Wind auf Fünen: Er haut den Verkehrsschildern aufs Blech und kämmt der Gerste das grüne Haar. Der Große Belt trägt Schaumkronen. Wie unermüdliche Radschläger drehen sich die Windrotoren. Über einem flachen Land hängt der Himmel erstaunlich tief. Reetdachhäuser, die Firste kreuzweise mit Knüppeln befestigt, liegen zwischen hohen Hecken. Von den Fahnenmasten ringeln sich die rotweißen Luftschlangen der Danebrog-Wimpel. Die Gärtner binden ihre Stauden fest, pflanzen Thuja-Mauern und heben Sitzkuhlen aus. Trotzdem: Es zieht. Gibt es eine Gartenkunst in Dänemark? Oder nur Schutzmaßnahmen?

Vorne im Reisebus sitzt Herr Grabener, der mit diesem Namen nur Gärtner sein kann. Er kommt aus Bremen, trägt Anorak, blaue Schiffermütze und hat es gern »gefleecht«. Er hat die Route ausgetüftelt: Fünen, Seeland und Møn. Dänische Hortikultur in fünf Tagen: Schlossgärten, Parks und siebenmal private Scholle. »So, meine Damen und Herrn …« Es sind aber nur Damen da. Fünfzehn im viel zu großen Bus. Zweimal fünfzehn grüne Daumen, die sich keinen Rittersporn für einen Eisenhut vormachen lassen. Herr Grabener wird sie den Gartenbesitzern vor jedem Rundgang formvollendet vorstellen (»These are my ladies«), danach ein kleines handgeschmiedetes Gerät überreichen, Spaten und Rechen am selben Stiel, und pantomimisch ihren Gebrauch erklären.

Frau B. ist achtzig, Botanikerin, und kennt jedes Pflänzchen bei seinem lateinischen Namen. Zu Hause hat sie neunhundert Quadratmeter Garten, hundert Kübel und eine Polin, die beim Gießen hilft. Frau S. zieht Kräuter in Hochbeeten, Frau W. ist Floristin und will zwischendurch keine Krypta und kein Denkmal sehen, sondern Blumen und noch mehr Blumen. Ein Gang durch die Altstadt von Odense, wo Rosen und Malven neben den blauen Türen bis zu den niedrigen Dachkänneln sprießen, gleicht einem Zickzack-Kurs, weil Frau W. ihre Nase in jede Blüte stecken muss. Mmhh! Eine Portland? Eine Alba? Hallo, Frau W.! Wir sind schon am Dom. Der Wind! Die Regenschirme sträuben sich. Aber der Heilige Knud kann in seinem Sarkophag warten, bis die Rosenfrage geklärt ist. Vielleicht doch eine Jacques Cartier?

In Odense wurde Hans Christian Andersen 1805 in großer Armut und Unordnung geboren. Sein Vater war Schuster, seine Mutter Waschfrau, alkoholkrank und am Ende verwirrt. Auf dem Odense Fluss, nicht weit von der Furt, wo sie die Wäsche anderer Leute auf den Steinen schrubbte, liegt ein aus Metallfolie gefalteter Kahn, eine künstlerische Erinnerung an das Papierschiffchen, mit dem der standhafte Zinnsoldat den Rinnstein befuhr. Der junge Andersen, unbehaust wie ein Vogel, fand adelige Gönner, und es war ihm ein Vergnügen, durch ihre Parks zu schweifen, Wiesen- und Gartenblumen zu pflücken und für die Damen daraus Buketts zu binden. In dem großen, eleganten Museum, das die armselige Butze einschließt, in der er aufwuchs, schlägt eine Nachtigall – vom Band, aber, wie im Märchen, frei und herzensschön, das Gemurmel der Welt übertönend und den Tod besiegend. Auf der anderen Seite der hohen Fenster fällt der Regen auf einen Park mit einem bunten Kindertheater, Rasenhügeln und Rabatten.

Zum Grundstück der Gartenarchitektin und Pflanzensammlerin Lillian Allingbjerg führt ein Rosenband, von dem Frau W. sofort angezogen wird. Prüfend hebt sie die Blumenköpfe, wie das

Kinn eines Kindes, das sie gerade beim Schwindeln erwischt hat. Verrat mir mal ... *Rosa de Resht*, unverkennbar! Ein violettes Rot und ein warmer, wundervoller Duft. *Rosa Mundi* – nein, Zweifarbiges mag sie nicht! Dann lieber diese weiße, *Tanja Blixen*, und hier natürlich *Königin von Dänemark*. Den übrigen Garten schenkt sich Frau W. Der ist ihr zu vollgestopft, die Kiespfade mit kleinen Verkehrsschildern markiert, um den Besucherstrom zu lenken. »Mögen Sie den Garten?« »Entschieden nein«, sagt Frau T. »Mein Vater hatte so einen. Erst war alles offen, nach vierzig Jahren alles zu. Und als Kinder mussten wir mit ihm da durchgehen; das hat drei Stunden gedauert mit dem Erklären.« Hier geht es schneller. Die nette Frau Allingbjerg winkt der Gesellschaft vor dem Törchen mit einer dänischen Fahne nach.

Birgit Madsen in Ørbaek hat keine Rosen, aber hinter ihrem Backsteinhaus alte Bäume, Nuss und Birne, einen Teich und viele außergewöhnliche Stauden. Der Rasen federt; seine Kanten sind picobello abgestochen. Vor der Haustür drückt sich eine Horde Katzen herum, die weniger gepflegt sind, und gegen die Frau Madsen Lufttritte austeilt. Nun sind Katzen im Garten wirklich zu nichts zu gebrauchen, und Frau und Herr Madsen beackern allein zweitausend Quadratmeter. Der Spaten fährt wie in feuchten Sandkuchen, als Herr Madsen Türkenbund-Lilien aushebt. So fühlt sich Boden an, der seit zwanzig Jahren regelmäßig seine Kompost-Packungen bekommt. Vor der haushohen Thujahecke, die das Grundstück dunkel umkränzt, steht Rhododendron als ein zweiter Windbrecher, dazwischen Orchideen, Astilben, der seltene blaue Scheinmohn *Meconopsis betonicifolia*, Etagenprimeln und, noch ein Stock tiefer, Veilchen und niedriger Storchenschnabel. Clematis klettert durchs Gehölz. »Ach, meine Clematis zu Hause will überhaupt nicht wachsen.« – »Meerschweinchenmist! Oder vom Kaninchen. Im Ernst. Wirkt ganz toll. Ich klaub' das Zeug so aus der Spreu raus. Bei Trockenheit etwas angießen. Und die Clematis zieht ab.« – »Könnten Sie mir mal eine Tüte voll schicken?«

Schon am zweiten Tag zeigt sich, dass die leeren Plätze im Bus nicht verschenkt sind. Auf ihnen reisen die Schnäppchen in Töpfen und Tüten mit: Duftgeranien, Lilien, Mohn und das bescheidene efeublättrige Zimbelkraut, das sich gern in Mauerritzen aufhält. Das grüne Ethos verbietet natürlich, etwas abzuknipsen oder auszugraben, aber die dänischen Gärtner sind auf Besuch eingerichtet und führen viele Pflanzen wohlfeil im Sortiment. »Ich fahre nie ohne Beutesack«, sagt Frau W., die bei Knud Hansen einen kleinen Baum namens *Clerodendron trichotomum* gekauft hat. Sie strahlt. »Mein Mann wird wahnsinnig.« »Wie fanden Sie denn die Gärten Hansen?« »Na ja, der zweite war ja wohl ein bisschen spießig.«

Knud und Carl Hansen sind Nachbarn. Knud, früher Stadtgärtner in Odense, weißes Borstenhaar und Pfeife, unterhält seit fünfunddreißig Jahren eine Liebesaffaire mit Gehölzen. Vierhundert Bäume sind es inzwischen auf einem Hektar, und sie wachsen ihm und seiner Frau allmählich über den Kopf: Lärche, Taschentuchbaum und Pimpernuss, Blauglockenbaum, Schein-Kamelie und Sommermagnolie – empfindliche Schönheiten, die sich, dicht beieinander stehend, gegenseitig vor Wind und Frost beschützen, zusätzlich ummantelt von Hortensien, Schneeball, Hartriegel und chinesischem Flieder. Hinter jeder Biegung des Rasenwegs lauert eine neue Überraschung: ein Teich, umgeben von den Riesenfächern der Gunnera, ein Gewächshaus mit Wein und Feigen, ein versunkener Sitzplatz, in dessen Mauerritzen Kakteen gedeihen. Die Hansens sind nur zu zweit, aber sie haben in jedem Winkel, den ihr Arboretum noch nicht verschattet, Gartenstühle aufgestellt, um bei plötzlichem Sonneneinfall sofort angemessen reagieren zu können.

Zum Nachbarn Carl führt ein Pfad durch ein Tannendickicht, das Knud angelegt hat. Haus und Garten dieses zweiten Hansen liegen hinter einer dichten Hainbuchenhecke zwischen flachen Feldern wie auf dem Präsentierteller. Wo bei Knud das Großformat herrscht, hat Carl sich auf kleine Maßstäbe eingelassen: Fuchsien, Geranien und Dachwurz. Hinter seiner Hecke klingt ein überraschendes Thema an: Japan in Dänemark. Nun gleicht der originale fernöstliche Garten ja eher einer stillen Bühne: große Steine, die wie Inseln im welligen Meer aus akkurat gerechtem, weißem Kies liegen; niedrige Koniferen, die metaphorisch für einen Wald stehen, Moos und weiches Wasser in Bewegung. Aber vielleicht ist Fünen für so ein Stillleben doch ein bisschen zu stürmisch. Das Bambus-Windspiel rappelt in der steifen Brise; der Wasserstrahl schießt wie aus dem Kran ins steinerne Becken. Genormte Platten fassen den Teich ein. »Das ist doch keine dänische Gartenkultur!«, beschwert sich Frau M. Also jetzt ein Schloss!

»Wir wollten alle nach Egeskov fahren. Ich war dabei, doch vor dem Tor verlor die Gräfin Scheel ihren Schirm. Wir hielten an; bei der Gelegenheit stieg ich aus dem Wagen und sagte, dass der Wind für meine Zähne zu heftig sei«, schreibt Hans Christian Andersen an einem Julitag vor über hundertsechzig Jahren in sein Tagebuch. Die Damen, die auf dem Parkplatz von Egeskov aus dem Bus steigen, halten ihre Schirme besser fest als die Gräfin Scheel und streben dem runden Eibenlabyrinth zu, in dessen Mitte, wie in einem geschützten Hafen, zarte Stauden zwischen Buchsbaumkränzen blühen. Das Schloss, das auf vielen hundert Eichenpfählen in einem See errichtet wurde, hat »so viele Fenster wie Tage im Jahr, so viele Türen wie Wochen, so viele Schornsteine wie Monate«, zitiert Andersen aus dem Atlas des dänischen Theologen Pontoppidan. Die Familie Ahlefeld-Laurvig-Bille, die seit 1784 im Besitz dieser romantischen Immobilie ist, wohnt heute im Wassergeschoss auf Augenhöhe mit dem Spiegel des Sees. Erst wenn die Touristen abends verschwunden sind, nehmen sie auch Salon und Jagdzimmer weiter oben wieder in Besitz.

Das Problem mit der Zugluft haben die Altvorderen bereits mit einer zweihundert Jahre alten und acht Meter hohen Hecke um den Küchengarten gelöst. Sie zu schneiden, dauert vierhundert, das Laub wegzuräumen, dreihundert Stunden. In ihrem Schutz wachsen alte Apfelbäume, pummelige Pfingstrosen und stämmige Fuchsien. »Bitte rühren Sie die Pflanzen« steht an den Beeten, und so reiben Herr Grabener und seine Ladies mit ausdrücklicher Erlaubnis die Blätter von Katzenminze und Lavendel, Ysop, Pimpinelle und Muskateller-Salbei zwischen den Fingern und halten sie unter die Nasen. »Haben Sie eine Idee, wie ich meine Minze bändigen könnte? Sie krautet mir den ganzen Garten ein.« »Minze nur in Kübeln! Können Sie auch eingraben, wenn der Topf unten offen ist.«

Nicht einen, sondern sieben Gärten – auf Dänisch Haver – hat Tove Sylvest im Laufe ihres langen Lebens um sich herum angelegt. Jetzt ist sie hoch in den achtzig, ein bisschen unsicher auf den Beinen, aber ihre Augen funkeln, und sie spricht mit diesem entzückenden, lispelnden Akzent, der dazu beiträgt, dass alle Welt die Dänen für nette Leute hält. »Welcome zu die Stelle, wo Fünen am schönsten ist.« Nämlich südlich von Assens und mit Blick auf die Ostsee. Um ihr Haus mit dem tiefgezogenen Reetdach gehen sieben Anlagen sanft ineinander über: ein finnisches Birkenwäldchen, ein französischer Rosenhof, eine schwedische Granittreppe mit Heidekraut und Wacholder hinunter, eine Schweizer Treppe mit alpinen Pflanzen wieder hinauf, ein pompejanisches Wasserbecken, ein englischer Rasenweg und eine dänische Blumenwiese. Nicht mitgezählt ist ein großer Gemüsegarten. Es sind achtzehntausend Quadratmeter. Auf dem Pflanzplan stehen fünfhundertneununddreißig Spezies, die sich die Gärtnerin nicht mehr alle merken kann. »Ich darf nicht sterben«, sagt Frau Sylvest, denn wer weiß, was dann aus »de 7 Haver« wird. Von den Rändern her schleicht sich die Wildnis an, um Rosen und Zuckererbsen zu verschlingen. Es sieht verwunschen aus, aber Frau Sylvest weiß, dass dies ein transitorischer Zustand ist, der dem Untergang eines Gartens vorausgeht.

Frau W. hat inzwischen ihre Hosen hochgekrempelt und ihre hellblauen Garten-Gummischuhe übergestreift. Es regnet in Strömen, als die Reisegesellschaft die Insel Seeland erreicht: Louisiana, ein Museum für moderne Kunst und ein Skulpturengarten bei Humlebaek am Øresund. Das Wasser perlt über die glatten Steinhäute der Plastiken von Henry Moore, Max Ernst und Jean Arp. Die

Gesellschaft sitzt im Museumscafé auf Augenhöhe mit den Wolken. Kierkegaards Vater soll bei diesem Wetter den Herrgott verflucht haben.

Es schüttet in Frederiksborg, dem stolzen Barockgarten, den Frederik IV. 1720 anlegen ließ. Es traf sich damals günstig, dass gerade kein Krieg zu führen war und die Soldaten in der Kaserne herumlümmelten. »So, sagte der König, jetzt geht ihr mal eben hinters Schloss und fangt an zu schaufeln«, schildert Herr Grabener den Weg von Schwertern zu Schippen. Geschaufelt wurde nach französischer Art, streng symmetrisch und längs einer zentralen Achse, auf der sich eine Wasserkunst mit Kanälen, Kaskaden und Springbrunnen in langen Stufen bis hinunter zum Schlossteich ergoss. An der höchsten Stelle erhob sich die Figur des Apollo, von Delphinen umspielt, die in hohem Bogen Wasser speien sollten. Da aber die Kunst des Pumpens noch nicht so weit wie die des Grabens entwickelt war, sabberten die Statuen leise vor sich hin, was den großartigen Eindruck ein wenig verwässerte. Zur Seite des Kanals schütteten die Soldaten Schanzen auf für Lindenalleen, Boskette und ein Parterre mit den königlichen Monogrammen in akkurat geschorenem Buchs auf hellem Kies. »Alles war im Garten des Kaisers auf das scharfsinnigste ausgegrübelt«, wie Hans Christian Andersen im Märchen von der Nachtigall schreibt. Leider waren die dänischen Könige nicht so reich wie der Kaiser von China, und schon vierzig Jahre später wurden die Kaskaden geschleift, der Garten schoss ins Kraut und verwilderte.

Erst 1993 begann man mit der Restaurierung, pflanzte sechstausendfünfhundert Buchsbäumchen und siebentausend Hainbuchen, schnitt den alten Linden einen Pilzkopf und trimmte einhundertsechsundsechzig Taxuspflanzen zu Pyramiden. Fingerhut und Lilien stehen wieder als Solitäre in den Bordüren ums Parterre – keine formlose bunte Masse, sondern eine große Zahl von Individuen –, so, wie sich die bürgerliche dänische Gesellschaft im Zeitalter der Aufklärung zu verstehen begann.

Damit ist die Reisegruppe bei der Gartenkultur angelangt, die Nadelgehölz und Heckenwände übersteigt. Ins Offene, meine Damen! Auf die Insel Møn. Dass sich die Regenwolken verzogen haben und der Wind schweigt, befördert den Eindruck von Heiterkeit und Harmonie. Saubere Welt unter der Sonne, glänzende Felder, reinliche Kühe, blinkende Fensterscheiben. Schon 1784 hat der Oberkammerjunker Antoine de la Calmette auf Møn die glückliche Verbindung von Gartenkunst und Gartenlust gefunden. Über Kreideklippen, die aus dem perlmuttschimmernden Meer aufsteigen, legte er einen romantischen Landschaftspark an, erbaute darin ein reetgedecktes weißes Schlösschen im hellsten, luftigsten Klassizismus und benannte alles nach seiner lieben Frau: Liselund. Die Calmettes standen mit ihrem Salon im Grünen an der Spitze der Bewegung: zurück

zur Natur. Alles war aufs Zierlichste bestellt. Zwar sprossen die Buchen und Edelkastanien, die heute turmhoch das Schlösschen und die Pavillons überragen, noch als grüne Reiser, die der Gärtner vor Schafen und Karnickeln schützen musste, aber es gab einen Teich, sanfte Hügel, die zu umrunden immer neue Ausblicke versprach, und die »Teufelsschlucht« zum Strand hinunter. Man spazierte mit den Gästen vom Schweizerhaus zur Norwegerhütte (mit pompejanischem Interieur); Bücher, Picknickkörbe und Schirmträger immer dabei, man zitierte Rousseau und kehrte zum Tee im chinesischen Pavillon ein, von dessen Decke ein grauseidener Zelthimmel wölkt. In Liselund lag die ganze Welt in einem dänischen Garten.

Sofern man bei einem Kaktus von schmiegen sprechen kann

Die meisten der befestigten alten Dörfer in den Bergen über der Côte d'Azur haben ihr Korsett aufgeschnürt, um fremde Gäste in die Arme zu nehmen. Nicht so Gorbio. Auf der Place de la République breitet eine dreihundert Jahre alte Ulme ihre grünen Äste aus. Ihr Corpus wird von einem eisernen Reifen zusammengehalten. Ein paar Schritte weiter liegt das Beau Séjour, das einzige Restaurant des Orts. Jasmin umrankt seine Arkaden. Brunnenwasser plätschert. Mauersegler sirren über den Himmel. Warum ist es hier so still und andernorts so laut?

Vielleicht liegt es an Michel Isnard? Der grauhaarige, sonnengebräunte Herr in modischem Schwarz ist nicht nur der Bürgermeister, sondern auch der Geschmackswart seines Dorfs. Im zwölften Jahrhundert wurde Gorbio auf einen Felssporn über Roquebrune gepfercht, vom Graugrün der Pinien, Steineichen, Oliven und Euphorbien umbuscht, mit Türmen und Toren um den Sarazenen zu trotzen, die an der Küste auf Sklavenjagd gingen. Mittlerweile hat der Zahn der Zeit an der Burg, die krumme Gässchen und holprige Steintreppen um sich schart, auf äußerst pittoreske Weise genagt. Dennoch ist Gorbio kein Touristenziel.

Fünfhundert Menschen leben im harten Kern, und den wenigsten scheint daran gelegen, Durchreisenden etwas zu verkaufen. Gorbio steht auch nicht unter Denkmalschutz. Stilistische Missgriffe – die Terrasse aus geflecktem Kunststein mitten in der Dachlandschaft aus gerundeten Ziegeln, das Plastikgeländer am mittelalterlichen Mauerbogen – müssen die Bewohner mit Bürgermeister Isnard ausmachen. So weit sein Arm reicht, schafft er selbst Änderung. Die weiße Porzellanmadonna mit dem glutroten Herzen, die auf einem Seitenaltar der barocken Kirche steht, verschwindet von ihrem Platz. »Sie hat überhaupt keinen Geschmack!« brummt er und meint die Dame, die sich um die Ausschmückung von St. Barthélémy kümmert und ihr Souvenir aus Lourdes dort auf den Altar gestellt hat – ausgerechnet vor das dunkle Ölbild mit dem Wappen von Gorbio. Dessen Motto – »unzerstörbar« – versteht Monsieur Isnard als seinen Auftrag, nicht nur ästhetische

Malheurs zu unterbinden, sondern die Gemeinde auch vor Spielarten modernen Sarazenentums zu bewahren.

Im restaurierten Turm der Burg hat er ein sehr elegantes Museum für moderne Kunst eingerichtet, das auf eine Millionenstiftung des indischen Malers Sayed Haider Raza zurückgeht, der im Ort ein Atelier besitzt. Vermutlich verdanken die Bürger von Gorbio auch dieser Stiftung, dass sie weitgehend unbehelligt unter ihrer gegürteten alten Ulme sitzen können.

Anders ist man in Eze verfahren. Das trutzige Dorf hoch über den Dächern von Nizza hat sich als urbanes Gebilde weitgehend aufgegeben und firmiert als »Dorf der Kunst und der Gastronomie«. Gewebtes, Geflochtenes, Getöpfertes und Gemaltes mit sehr viel d'Azur quillt aus den Türen in die steilen Gassen. Sonnenschirme sprießen aus Treppenabsätzen, Geranien, Petunien und Wandelröschen aus Kübeln und schnupftuchgroßen Beeten. Rote und violette Bougainvilleen wallen dramatisch wie Theatervorhänge über die Mauern. Eze ist sehr hübsch. Friedrich Nietzsche, der den Winter 1883 in Nizza verbrachte, stieg mehrmals die vierhundert Höhenmeter zum »maurischen Dorf auf den Felsen« hinauf und formulierte Teile von *Also sprach Zarathustra* auf dem Weg, der heute seinen Namen trägt. Die Fülle des Lichts habe eine wundersame Wirkung auf ihn, schrieb er. Er schlafe gut, lache viel und seine Geduld sei ausgezeichnet. Man sah ihn sogar tanzen.

Die Gäste, die sich heute hinaufchauffieren lassen, um von der Terrasse des exklusiven »Chèvre d'Or« ihre Yachten von oben zu betrachten, teilen Nietzsches gute Laune. Ihr Ruhm ist voraussichtlich weniger haltbar als der seine, dafür verfügen sie in der Regel über sehr viel mehr Geld. Elton John nimmt hier den Sundowner, so wie die jordanische Königin, Tina Turner, Bono und Bill Clinton ein eisgekühltes Coca Cola. Für die Bürger von Eze ist es Ehrensache, die Prominenz nicht anzugaffen, vielleicht, weil sie wissen wie vergänglich der Glanz ist. Vom Burgplateau blickt man auf die ferne Steilkurve der Corniche, in der die Fürstin von Monaco 1982 tödlich verunglückte.

Man muss ganz hinauf zu diesem felsigen Balkon steigen, um den besten Blick über das Meer bis Cap Ferrat zu genießen. Ein »Jardin exotique« schmiegt sich um die Burgruine – soweit man bei einer ausgesuchten Sammlung von Sukkulenten und Kakteen von schmiegen sprechen kann. Unberührbar, tarnfarben, duftlos und durstlos sind diese Pflanzen eher reservierte Organismen und als wahre Überlebenskünstler der Ansprache des Gärtners kaum bedürftig. Allein ihre Formen als kugelrundes Stachelschwein, Warzenkissen, böse Zunge oder steiler Phallus verraten einen gewissen grimmigen Humor. Im exotischen Garten von Eze hat man ihnen zur Gesellschaft eine Anzahl Skulpturen aufgestellt, Frauen in schulterfreien Wickeln, die alle ein wenig an die junge Grace Kelly erinnern. Es soll sich um Erdgöttinnen handeln, aber sie wirken eher wie Geschöpfe, die ein Windhauch über die Kante blasen könnte, und kein Sukkulent weinte ihnen einen Tropfen nach.

St. Agnès, das »höchstgelegene Küstendorf Europas«, gehört zu den schönsten Gemeinden Frankreichs. Das offizielle Prädikat verdankt es seinen mittelalterlichen Gassen mit den eng aneinander gebauten zitronen- und orangefarbigen Häusern und einem Gärtchen der Sinne am Fuß der Burgruine auf achthundert Metern Höhe.

Wenig Anteil an der Schönheit hat die Feste, die einmal das Dorf und die Küste schützen sollte. Unter Fels und knorpeligem Beton verbirgt sich ein Fort der Maginot Linie aus dem Zweiten Weltkrieg, dessen Kanonen auf die Bucht von Menton und italienische Angreifer gerichtet waren. Der Besucher, der über die Zugbrücke tritt, muss sich auf zweitausend Quadratmeter Unterwelt gefasst machen, in der vom Wasserfilter bis zum Elektrokabel alles noch funktioniert, aber eigentlich reicht schon der nach Eisen und Schimmel riechende kalte Hauch, der ihm aus dem Stollen entgegenweht, um ihn zurückweichen zu lassen und bergauf durch die duftende, wilde Botanik in den Garten auf der Bastei zu treiben.

Auf zwei schmalen Terrassen spricht hier die Erde durch die Blume zum Betrachter. Auf der oberen wächst nützliches Gemüse in kleinen Beeten, die mit geflochtener Weide umkränzt sind; darunter liegt ein in Buchsbaumgevierte gefasster Garten, der mit Feigenbäumen, Lavendel, Salbei, Akanthus, Erdbeeren, Rosen und Reben die himmlischen Freuden symbolisiert und den höllischen Abgang in Form einer wackeligen Steintreppe hinunter ins naturbelassene Stachelgestrüpp. Ein Troubadour aus Buchs klampft unterm Mandelbaum vor zwei lauschenden Ritterfräulein mit spitzen Hauben; gelbes Heiligenkraut deckt die warmen Steine. Von drei Seiten schließen Fels und Mauern diesen köstlichen kleinen *Hortus conclusus* ein, zur vierten öffnet sich der Blick in die rauen Berge und zum Meer. An klaren Tagen soll man am Horizont Korsika erahnen.

Frankreichs blaue Küste verdankt ihren Ruhm eigentlich einer Fehldiagnose. James Henry Bennet, Gynäkologe der Königin Victoria, war nach Menton gekommen, weil er »ein ruhiges Plätzchen zum Sterben« suchte, fand das Klima aber dann so bekömmlich, dass er im letzten Drittel des neunzehnten Jahrhunderts einen wahren Boom entfachte, der nicht nur kurbedürftige Engländer an die Riviera lockte, die Heilung für ihre klammen Lungen und fröstelnden Herzen suchten. Wo früher die Wäscherinnen von Menton das Leinen zum Trocknen über die Orangenbäume warfen, ragten bald Villen und Palasthotels auf. Im Winter 1920, als die tuberkulosekranke Schriftstellerin Katherine Mansfield anreiste, war Mentons Stern indes schon im Sinken, denn die feuchte Seeluft erwies sich keineswegs als heilsam. Dennoch ließ es sich unter Palmen besser leben als unter Englands tropfenden Eiben, »vielleicht weil alles menschliche Tun schön ist unter der Sonne«, schrieb Mansfield.

Was aber tut ein Engländer, wenn er lange genug im Korbstuhl geruht und die *Times* ausgelesen hat? Er legt einen Garten an. Dass die Gegend nur über ein beschränktes botanisches Repertoire und eine einzige endemische Zwergpalme (*Chamaerops humilis*) verfügte, mag den gärtnerischen Ehrgeiz angestachelt haben. Schließlich waren es die reichen Residenten, die drei Viertel der Pflanzen importierten, die heute das Bild der Riviera prägen: Agaven und Mimosen, Zitrusbäume, Strelitzien, Oleander und hochstämmige Palmen.

Major Lawrence Johnston, ein ausschweifender Reisender und Pflanzenjäger, schuf in seinem Leben nur zwei Gärten: Hidcote Manor in den Cotswolds und Serre de la Madone in Menton. Am Kilimandscharo hatte er Lobelien gesammelt, in China Mahonien und Jasmin. Was in Gloucestershire nur unter Glas gedieh, konnte im Süden auf sieben Hektar Terrassen, auf denen früher Obst und Oliven reiften, freigelassen werden. In einer Vielzahl von Gartenräumen, die wie die Borde einer Sammlervitrine übereinander liegen, arrangierte Johnston seine Beute im besten Licht: Sukkulenten aus Mexiko neben Aralien aus Neuseeland, Silberbäume aus Australien, Heroldstrompeten aus dem Himalaja und indische Orchideenbäume. Ein Wassergarten mit Lotus und Papyrus liegt zu Füßen der mediterranen Fülle um das aprikosengelbe Haus und den mit ovalen Kieseln gepflasterten Hof, von dem man sämtliche Terrassen im Blick hat. Spitze Zypressen und rundliche Magnolien rahmen die Aussicht. Johnston ließ Exotisches und Heimisches auch munter durcheinander wachsen, und vermutlich hätte er nichts gegen die wilden Glockenblumen gehabt, die sich heute im ganzen Garten selbst aussäen. Eine Pergola durchschneidet die Breite des Gartens. Hier spazierte der Major mit seinen Hunden auf und ab, wenn er lästige Besucher floh. Die Seiten der Pergola waren zugemauert, denn Hunde und botanische Raritäten passen nun einmal nicht zusammen, und Johnston sorgte für Abstand zwischen den Parteien und Frieden für sein Gemüt.

Die einzigen Tiere, die Vicente Blasco Ibáñez in den Garten ließ, waren Fische. Gäste wurden gebeten, Exemplare für sein Aquarium im »Jardin des Romanciers« Fontana Rosa zu stiften. Der exilierte spanische Politiker und Autor hatte um seine Villa im Mentoner Viertel Garavan ein Refugium für die Dichter und eine farbenfrohe Feier ihrer Kunst inszeniert: unter den Arkaden Büsten von Flaubert, Shakespeare, Dickens, Goethe, Stendhal, Boccaccio, kühle Bänke aus prachtvoller Keramik zwischen akkurat gezirkelten Beeten, ein

Pantheon für Cervantes mit Säulen und Wasserbecken, in dem die Geschichte des Don Quixote auf bunten Kachelfriesen erzählt wurde. Ein altes Foto zeigt den Hausherrn in Anzug und Krawatte auf einer der Kachelbänke an einem runden Brunnen im Schatten hoher Palmen. Alles wirkte sehr kultiviert. Der Autor unterhielt eine Bibliothek mit 50 000 Büchern, einen Kinosaal, denn seine Werke wurden auch verfilmt, ein Belvedere mit Ausguck übers Meer und eine Bacchus-Allee mit Ruheplätzen unter einer Wein-Pergola.

»Mein Garten, mein Garten!« soll Blasco Ibáñez 1928 auf dem Sterbebett geseufzt haben. Die Kacheln platzten von den Bänken. Die Dichterbüsten verschwanden. Der Sohn verkaufte den Obstbaumhain als Baugrund. Die Villa, im Zweiten Weltkrieg schwer beschädigt, verfiel und wurde 1984 abgerissen. Vor zwanzig Jahren stellte man Fontana Rosa endlich unter Denkmalschutz. Die Reste werden restauriert, aber niemand kann diesem Garten der traurigen Gestalt seinen Geist zurückgeben. Blauer und weißer Agapanthus blüht wieder in der Bacchus-Allee, doch der Platz, wo die Villa stand, wird leer bleiben, und hinter dem verrotteten Aquariumbau ragen die üblichen Verbrecherfassaden der siebziger Jahre auf. Blasco

Ibáñez, der von einer idealen Gesellschaft träumte und in Patagonien eine Republik Cervantes gründete, hätte einen wie Michel Isnard, den Bürgermeister von Gorbio, als Knappen gut gebrauchen können.

Ein Jardin in Luxemburg

Der Garten ist in Bewegung; Wind fährt in die Weiden. Hinter der Hainbuchenhecke biegt sich die Reihe der jungen Bäume unter einer Bö, als legten sich alle zusammen in die Kurve; Gras plustert sich, Federmops auf langen Stielen winken begeistert, und wenn nicht der Wind die hohen Halme fliegen lässt, dann ist es einer von fünf Bassett-Hunden, der sich in einem Grashorst niedergelassen hat, mit heftigem Gewedel. Paul McBride scheucht ihn heraus. Der Garten ist robust und naturnah, aber ein Hund ist im Staudenbeet nun mal keine große Hilfe.

Paul, einundvierzig Jahre alt, Gartendesigner aus Glasgow, der für den National Trust gearbeitet hat, antwortete 1998 auf die Anzeige einer internationalen Bank, die um ihr Gäste- und Kongresshaus – ein Bauerngehöft aus dem achtzehnten Jahrhundert in der Nähe der Stadt Luxemburg – etwas mehr hortikulturelles Gepränge entfalten wollte, als Viehweiden und ein Ententeich darstellten. Pauls Konzept eines natürlich gestalteten

Gartens überzeugte die Geschäftsleitung. Seine Frau Pauline, eine Literaturwissenschaftlerin, führt seither das Haus im Stil eines behaglichen Landhotels; Paul ist Herr über den Garten. Die beiden leben im äußeren Teil des dreiflügligen Hofs mit Blumenkästen vor den Fenstern, dem dicken Zopf einer Glyzinie über der Tür und einem Hofgärtchen voller Pflanzen in großen Terrakotta-Kübeln: Rizinus, Wandelröschen, Calla, Fuchsien und Bananenstauden. Obwohl ihnen weder das Haus noch die Hunde noch der Garten gehören, fühlen sie sich als Besitzer. »Wir gehen jeden Abend durch unseren Garten«, sagt Pauline, und sie meint nicht die fünf Schritte von der Haustür zum Pförtchen, sondern fünf Hektar Rasen, Marschland, Gemüse, Blumen und Rabatten.

Wie anders sollte man sich auch fühlen, wenn man aus bäuerlichen Wiesen einen Garten herausgestochen und in den Hügeln ringsum fünfzigtausend Narzissenzwiebeln versenkt hat? Den hausnahen Garten hat Paul in vier große »Jahreszeiten-Räume« gegliedert: Stauden der Saison blühen dort zwischen Wänden aus Hainbuche. Vor dem Ententeich entstand eine Uferzone aus Schilf und Gehölzen, wo Vögel Nistplätze und Futter finden. Vor der Küchen-Terrasse legten Paul und

Pauline einen Krocket-Rasen an und stellten Stühle unter zwei alte Mirabellenbäume, von denen einer sich in eine prekäre, japanisch anmutende Schräglage begeben hat. Auf dem Südhang liegen Blumen- und Gemüsegarten, die ein Tunnel aus lebendiger Weide trennt, dessen Ruten jedes Jahr frisch gesteckt werden. Das Gelände ums Haus ist nicht ideal für einen Garten. In der Senke hält sich der Frost, aber drumherum steigt und fällt das Wiesenland bis zu den von Buchenwäldern gesäumten Horizonten, die sich als weiche Ketten um den Betrachter schließen.

Näher am Haus und doch so weit, dass die große Geste nicht verloren geht, zieht sich ein fünftausend Quadratmeter großes Rabattenband hügelan, das der Niederländer Piet Oudolf entworfen hat. Paul war seit Jahren ein Bewunderer Oudolfs. Dessen Philosophie, eine informelle Gesellschaft von robusten Pflanzen zu schaffen, die einander spannungsreich und vorteilhaft zur Geltung bringen und deren wechselnde Farbe und Struktur das ganze Jahr lang entzückt, entsprach auch Pauls Konzept und stieß bei der Bank auf ungeteilte Begeisterung.

Piet und Paul sind beide großrahmige Männer, die verschwenderisch mit Platz umgehen. Ein derartiges Format war jedoch selbst für Oudolf ungewöhnlich. Im Frühling 2002 brachten sie, unterstützt von drei Gärtnern, zwanzigtausend langlebige Stauden in die Erde, die zuvor tiefgründig mit Sand und Torf aufgearbeitet worden war. Das nun zusammengewachsene, zweihundertfünfzig Meter lange Band ist großes Gartentheater, aber kein lautes, buntes Stück, sondern ein epischer Fluss in Wellen von Echinaceen, Salbei- und Sedum-Arten, Astilben, Helenium, Rudbeckien und Astern, wirkungsvoll durchsetzt von Schilf und Gräsern, Miscanthus und Panicum, die wie Pünktchenschleier den Konturen schmeicheln oder als humoristische Flederwische aus ihren Horsten spitzen.

Viele Stauden sind elegantere oder größere Versionen ihrer Wildform. Sie sorgen weitgehend für sich selbst, sind so dicht miteinander verwoben – und so dick gemulcht –, dass unerwünschtes Kraut kaum aufschießen kann. Anders könnten Paul und sein Gärtner, die nur im Sommer noch von zwei Männern unterstützt werden, die Arbeit kaum bewältigen.

Dieser Jardin in Luxemburg ist ein Garten zum Anfassen. Rechts und links des Rindenmulchwegs möchte man immerzu flauschige Blätter streicheln, haarige Schwänzchen durch die Hand ziehen und Bambusdickichte durchrascheln. Das liegt vielleicht an ihrem selbstbewussten Auftritt, ihrer strotzenden Stärke auch noch im Verfall. Die braunen Pfeile des Ehrenpreis, die dunklen trockenen Wogen des Sedum, die harten Köpfchen der Verbenen und kupfrigen Rispen der Silberkerze bilden aparte Muster vor dem Hintergrund weicherer, größerer Blattstrukturen. Wie zarte, grauweiße Geweihe steht im Herbst das Geästel von Perovskia *Blue Spire* vor dem Purpur und Schwefelgelb des Laubs. Im Winter verleiht der Hagelzucker des Raureifs den Samenständen noch einmal konditorhaften Reiz. Denn die Rabatte wird im späten Jahr nicht aufgeräumt und zurückgeschnitten, sondern bleibt bis zum kommenden Vorfrühling stehen, ihrer anmutigen Struktur wegen und als Futterkammer für die Vögel.

Piet Oudolfs naturnaher, leicht ungekämmter »Look« schließt dieses Miteinander von blühenden, samenden Pflanzen und vielfältigen Nutznießern ein. »Im Sommer steigen ganze Wolken von Schmetterlingen auf, wenn man hier durchgeht«, sagt Paul und hebt die Arme, »Wolken von Schwalbenschwänzen, wunderbar!«

Kaum gebändigte Wildnis herrscht jenseits eines

Wassergrabens, eine kleine Marsch voller Mädesüß und Schilf, durch die ein Bohlenweg führt. Mittendrin steht ein runder Holzpavillon unter einer Trauerweide als optisches Ausrufezeichen. Von hier kann man Garten, Haus und die lange Rabatte als Gesamtbild betrachten. »Wir haben Pflanzen zusammengebracht, die ständig in Farbe und Struktur harmonieren«, sagt Paul, »aber spät im Jahr ist es am wichtigsten, daß sie auf interessante Art und Weise sterben.«

König Leopolds Huld

Die Königlichen Gewächshäuser in Brüssel sind ein kleines botanisches Versailles, Paläste aus Glas und Gusseisen für Palmen, Pomeranzen und Kamelien. Ihre gerippten Kuppeln mit den eisernen Knäufen erheben sich am Stadtrand auf der Domäne von Laeken zwischen akkurat geschnittenen dunklen Heckenbürsten und rosa schäumenden japanischen Kirschbäumen. Um die alte Orangerie aus dem achtzehnten Jahrhundert entstanden auf vierzehntausend Quadratmetern fünfzehn Gewächshäuser und Pflanzen-Galerien, die im neunzehnten Jahrhundert die größte zusammenhängende Glaslandschaft für Zierpflanzen auf dem Kontinent bildeten, ausschweifender als Kew Gardens, kühn konstruiert wie der Eiffelturm – der Traum eines belgischen Königs, der glaubte, sich alles leisten zu können.

Das Schloss von Laeken, in dem das Kronprinzenpaar wohnt, liegt nebenan und ist durch Galerien mit den Gewächshäusern verbunden. In der vom Regen aufgeweichten Auffahrt zur Schlossterrasse steht ein Polizist in orangefarbenem Warnanzug. Es ist der erste Tag eines dreiwöchigen Ausnahmezustands, in dem hunderttausend Menschen erwartet werden. Jedes Jahr im Mai darf das Volk die Königlichen Gewächshäuser besichtigen; nicht ausschwärmend, sondern von Kordeln und aufmerksamen Mützenträgern über einen Parcours von der Orangerie zum Wintergarten, Kongo-Gewächshaus, durch den Park zum Palmen-Pavillon, durch Geranien-Galerien und das Spiegel-Gewächshaus wieder zurückgeleitet. Entschlossenen Freunden der Botanik gelingt dennoch hier und da ein Schritt vom Weg, um sich den rosa Glocken der *Medinilla Magnifica* auf Augenhöhe zu nähern, die Nase in eine schwül duftende Engelstrompete zu stecken oder einmal eine leichte Hand auf *Monstera deliciosa* zu legen, ein Fensterblatt, groß wie ein Elefantenohr – oder fast.

Verbunden ist das wundersame Ensemble durch ein Netz glasgedeckter Wege und Tunnels, in denen Geranien an Fäden die Wände hochgehen und das Dach voller Fuchsien hängt. Farn und Hortensien umbuschen den Aufgang zu einer verschlossenen Tür. In der Azaleen-Galerie lodern rosa und rote Blütenschwaden; in einer moosigen Grotte wurde Diana mit ihren Hunden zwischen den Baumfarnen im Lauf versteinert.

König Leopold II. hat diese Stadt aus Glas und Eisen in den siebziger Jahren des neunzehnten Jahrhunderts von dem belgischen Architekten Alphonse Balart erbauen lassen. Ihre Linien und ihre Ornamentik, die grünen Streben und rosa Scheiben scheinen den Jugendstil vorauszunehmen; die zentrale Rotunde mit der filigranen Krone auf dem Kuppeldach weist noch weiter in die Zukunft. Sie sieht aus wie ein royales Ufo, das auf sechsunddreißig gebogenen Stelzen zwischen den Hügeln im Park gelandet ist.

Leopold II. liebte den großen Maßstab. In Zentralafrika ergaunerte er den Kongo als ein privates Imperium, das siebenundsiebzigmal so groß wie Belgien war. Im Kongo-Gewächshaus und der fünfundzwanzig Meter hohen Rotunde hielt er zwischen Fächerpalmen, Bananenstauden und Zimtbäumen Hof. Der großen Orangerie, in der heute zweihundert Jahre alte Zitronen- und Lorbeerbäume in Kübeln überwintern, schlossen sich ein Speisezimmer und ein Theatergewächshaus an. Am anderen Ende des Parks liegt eine runde eiserne Kirche, in der tropisches Grün Altar, Empore und Gestühl umrankt. Theater und Kirche sind geschlossen. Auch in den drei Publikumswochen lassen sich Königs nicht überall reinschauen. Dunkel und staubig sind die Scheiben der kleinen Villa nahe der eisernen Kirche, in der Leopold II. 1909 starb, seinen beleidigten Worten nach als »ein Ungeheuer« wahrgenommen, »dessen Niedertracht in Worten beschrieben wird, die in der besseren Gesellschaft nicht wiederholt werden können.« Zwangsarbeit und Verstümmelung, die die Kongolesen unter seinem Regime erlitten hatten, schob er der Kolonialverwaltung in die Schuhe. Leopolds Büste steht unangefochten und bronzeglänzend auf der Treppe zum Kongo-Gewächshaus. Seinen Kristallpalast hatte er zu Beginn des Jahrhunderts dem Staat geschenkt, dem seither dessen Verwaltung und Erhaltung obliegen. Vermutlich von Steuergeldern.

Der Öffnung der Schlosstore war das Gerücht vorausgeeilt, Königin Paola selbst gieße in den Gewächshäusern gelegentlich die Blumen. Es ließ sich nicht erhärten. Eine Dame mit Gießkanne wäre einem täglichen Wasserverbrauch von rund fünfzigtausend Litern auch kaum gewachsen. Dem jungen Mann in blauer Arbeitskluft, der auf dem Sandweg in der Fuchsien-Galerie die welken Blüten zusammenrecht, ist die Königin noch nie begegnet. Und König Albert? Ist er Gärtner, Botaniker? Pflanzensammler? Sein Pressesprecher Luc van Ooteghem, ein schmaler Herr im grauen Anzug, der den ersten Rundgang feierlich eröffnet hat, hebt die Schultern und breitet die Arme aus. Er weiß es nicht.

Der königlich-belgischen Website monarchie.be ist zu entnehmen, dass der Monarch sich in seiner raren Freizeit »ein wenig Entspannung durch Lektüre, Spaziergänge, Kontakte mit seiner Familie, Auto- und Motorradtouren« gewähre. Als Hobbies der Königin werden Musik, Reisen und Waldspaziergänge genannt. Auch das Kronprinzenpaar fällt nicht durch grüne Daumen auf. Prinzessin Mathilde, eine studierte Psychologin, engagiert sich in Kinderhilfsprojekten, spielt Tennis und Klavier. Von Prinz Philippe hört man noch weniger: Sport. Autos. Mon Dieu!

Und die Königlichen Gewächshäuser? Die grünen Säulen und Bögen und gewaltigen Spinnennetze der Kuppeln? Die sechzigtausend Pflanzen, vom zierlichen Moos bis zur Dattelpalme, die Baum- und Geweihfarne, der blaue Heliotrop, die rotgetüpfelten Pantoffelblumen, die gelbroten Schnäbel der Strelitzien, die Farben, die Düfte, die ganze Pracht – neunundvierzig Wochen im Jahr nur von Gärtnern berührt und von der Sonne durch die Scheiben geküsst. In den restlichen drei darf sich das Volk daran ergötzen.

Danke, Leopold!

Kommt früh, bleibt dafür gern etwas länger

Wo immer ich grabe, der Kriechende Hahnenfuß ist schon da. *Ranunculus repens*, die hübsche Butterblume, treibt eine kleine grüne Blattrosette, dann schiebt sie einen zarten Stängel nach, mit dem sie, kaum dreht man ihr den Rücken zu, einen Bogen schlägt und eine weitere Rosette unweit der ersten in die Erde senkt. Sie verbreitet sich auf diese Weise mit Lichtgeschwindigkeit und ist als Bodendecker unerreicht. Der kriechende Ranunculus wächst sogar im Winter kopfunter im umgegrabenen Beet, ist im Vorfrühling der erste und weiß genau, dass ich ihm nicht mit der Hacke auf die Füße haue, weil ich fürchte, etwas zu treffen, das darunter noch schläft. Die Zwiebeln der kleinen Schwertlilien zum Beispiel, deren samtene Tigerzungen auf Schnee oder kalter brauner Scholle von solch exquisiter Schönheit sind, dass ich ganz geschmeichelt bin, sie unter derart ungastlichen Umständen bei mir erscheinen zu sehen. Ein Krokus sieht neben *Iris histroides*

George aus wie ein Osterei aus dem Supermarkt neben einem gleichnamigen Objekt aus dem Hause Fabergé.

Oder man hackt versehentlich in die wilden Gladiolen, die man im Handgepäck aus Kreta eingeführt hat, wo sie in minoischer Anmut antike Hügel bewohnen. Der deutsche Hahnenfuß wird ihnen allen den Garaus machen, wenn man ihm nicht beizeiten den Weg abschneidet.

Vom gleichen Schlag, nämlich auch aus der Familie der Hahnenfußgewächse, und von ähnlichem Gelb ist das Scharbockskraut. Es kommt noch früher als die Butterblume und bleibt dafür gerne etwas länger. Wenn man es nicht samt der Knöllchen, die es in seinen Blattachseln ausbrütet, aus dem Garten schmeißt, ist es im nächsten Februar wieder da und hat seine gesamten Nachkommen mitgebracht. Man kann es essen – vermutlich der größte Tort, den man einer bräsigen Pflanze antun kann, im Salat, im Rührei, im Pfannkuchen, aber es gibt Grenzen.

Harold Nicolson empfand Unkrautjäten als wohltuend für Boden und Geist, es bilde den Charakter, wenn man eine stumpfsinnige Aufgabe sorgfältig erledige. Das sagt sich so gelassen als Erzengel über einen Garten wie Sissinghurst, in dem zu arbeiten vermutlich mehr Ehre als Plage ist. Der Einzelkämpfer gegen Kriechenden Hahnenfuß und Konsorten lernt die unangenehmen Seiten seines Charakters gründlicher kennen, als seiner oder ihrer Selbstachtung lieb ist.

Der Löwenzahn ist ein weiterer Fall. Im Frühling überzieht er die spinatgrünen Wiesen mit seinem lauten Gelb, ein unschönes Farbspiel, das Gras und Blume reichlichen Gaben von Jauche schulden. Nach der Blüte landet der Löwenzahn als Fallschirmjäger in meinem Garten. Er treibt keine Stängel in die Luft, sondern Pfähle in die Tiefe, die dort ausgegraben werden müssen. Es gibt dafür geeignete Waffen, lange gespaltene Eisenzungen an einem kompakten Stiel, aber man muss es eben auch tun.

Ein weiterer Gast, der zu früh kommt und sich nicht freiwillig wieder verabschiedet, ist der Knöterich. Er ist der Tarzan unter den Rankgewächsen und der rechte Mann, wenn es gilt, etwas verschwinden zu lassen – etwa ein stillgelegtes Atomkraftwerk. Der Knöterich übernimmt das und schafft es spielend, tote oder lebendige Materie in duftenden, trügerisch weißen Wolken vollständig einzuranken und schließlich unter sich zu begraben. Vom Versuch, seine Ausläufer aus den Zweigen des jungen Quittenbaums zu ziehen, rate ich ab. Tarzan knickt jeden Wirt, selbst wenn der stärker aussieht als der Gast. Man sägt den Knöterich, wenn man ihn findet, eine Handbreit über dem Boden ab, und zwar regelmäßig.

Eine befriedigende Methode, mit Invasoren, die von oben einschweben und nicht mehr weichen, fertig zu werden, ist, sie mit ihren eigenen Mitteln – Zähigkeit, Wuchsfreude, Üppigkeit, Impertinenz und Unverwüstlichkeit – zu schlagen. Der Frauenmantel gehört zu dieser Truppe, alle möglichen Arten von Storchschnabel; Waldmeister und Walderdbeeren sind eher etwas für leichtere Fälle. Und die Phacelia. Der Tag, an dem das Beet seine Farbe wechselt, von Winterbraun zu Graugrünaubergine, ist der Tag, an dem zehntausend Phacelia-Sprösslinge ihre Keimblättchen entfaltet haben. Über ein kurzes wird der halbe Garten von psychedelischem Lila erfüllt sein. Büschelschön oder Bienenweide heißt das Kraut auch, ein ordinärer Gründünger, sechs Euro der Sack, den man, wenn er in Hektargröße angebaut ist, selbst aus dem Weltraum erkennen soll, und der hält, was er verspricht. Die Hummeln brummeln wie betrunken darin herum, und der Löwenzahn daneben bleibt unbedient – jedenfalls so lange wir nicht hinsehen.

Auch die Phacelia ist kaum mehr des Gartens zu verweisen, da sie sich anschließend selbst aussät, aber im Gegensatz zum Kriechenden Hahnenfuß lässt sie sich willig, ja fast zuvorkommend, ausrupfen.

Unwillkommene Tiere wollen wir heute nicht besprechen; nur einer sei angezeigt, der sich sonst gern zu den Nützlingen zählen lässt, der Igel. Mit Freuden sehe ich ihn an lauen Sommerabenden am Feldrain entlang tigern, Richtung Wildgehölz und hinaus aus meinem Garten, denn der Schweinigel macht sein Bett bevorzugt im Lavendel, jede Nacht in einem frischen Strauch, und hat mir auf diese Weise bereits eine ganze Rabatte ruiniert.

Gesiebtes Wasser

»Künstlicher Regen
wird durch Gießkannen erzeugt«
Karl Valentin

Der Garten braucht Wasser; die Rabatten, der Rasen, die Kübel, die Blumenkästen, die Setzlinge, die Bäume, gelegentlich brauchen sogar die Kakteen Wasser. Da gibt es Systeme, die unter Mulch versteckt tropfenweise vor sich hinpiddeln; Sprenger, die mit raumgreifender Geste Wasserlanzen schleudern, Schläuche mit verschiedenen Düsen, Sprinkler, Beregner, Spritzen. Und seit alters her gibt es Gießkannen. Der Mönch Walahfrid Strabo, der im neunten Jahrhundert auf der Insel Reichenau lebte, besprengte seine empfindlichen Saaten noch mit tropfenden Händen. Den Witz mit der Brause erfanden die Gärtner erst sechshundert Jahre später: Es war ein irdener Topf, der am Boden oder rundherum perforiert war. Bei dem einfachen Modell brauchte man ein Becken oder einen Eimer in der Nähe, aus dem man schöpfen konnte; die Weiterentwicklung wurde oben mit einem Deckel oder dem Daumen fest verschlossen, so dass ein Vakuum entstand, welches das Wasser im Topf hielt, bis das Beet erreicht war und der Gärtner dem Nass freien Lauf lassen konnte. Den Prototyp des Gießtopfs gibt es noch immer in mediterranen Spenglerläden: ein Zinkeimer mit einem groben Sieb im Boden; doch wohl eher zur Erfrischung des Gärtners als der Pflanzen gedacht.

Die erste brauchbare Freiland-Gießkanne mit Bügel, Griff, Rohr und Brausekopf kam im siebzehnten Jahrhundert auf, und sie blieb ihrer Form mit Variationen bis heute treu. Zwar ist sie nun häufiger aus Plastik denn aus Stahlblech oder Zink, dafür fällt sie leichter um und ist aus unerfindlichen Gründen immer im Weg.

Das neunzehnte Jahrhundert sah die Entwicklung der Kanne mit dem langen Rohr und stützender Spreize für die Bewässerung entfernter Töpfe im Gewächshaus und entlegener Stauden im Beet sowie die Ausformung verschiedener Brauseköpfe für gezielte feine oder üppige Benetzung. Ältere Kannen waren meist zylindrisch mit einem Querbügel über dem Deckelrand für das Halten beim Gießen und einem Griff am Korpus zum Neigen.

Handlichere Modelle sind oval mit einem Längsbügel, der eine Art Halbkreis um die Kanne beschreibt. Sie lassen sich näher am Körper tragen und mittels Kraft und Schwung mit einer Hand kippen.

Kapriziöser sind Zimmergießkannen. In den fünfziger Jahren waren sie gerne aus einem gleichmäßig zerbeulten, kupfrig glänzenden Material mit langem Schniepel wie ein Ölkännchen, bauchig, flaschen-, vasen-, zipfelförmig aus Chrom oder buntem Plastik. In dem Trickfilm *Wallace und Gromit auf der Jagd nach dem Riesenkaninchen* tränkt der Hund Gromit das Gemüse im Gewächshaus aus einem glänzenden, traditionellen englischen *teapot* mit aufgestecktem irdenem Brausekopf. Es gibt aber immer noch genug Topfpflanzen, die die Fensterbank mit einer deckellosen Kaffeekanne teilen, in deren Hals sich der Kalk wie Zahnstein abgelagert hat. Merke: Das Auge gießt mit!

Das schwäbische Bauernhofmuseum in Illerbeuren verfügt wohl über die größte Gießkannen-Sammlung: zweihundertdreiunddreißig Stück; vom Kännchen für Kakteen mit nullkommasiebzehn Liter, bis zum Messe-Schaustück, das einhundertzweiundachtzig Liter fasst. Ausgestellt sind antike Exemplare aus Ton, Holz, Blech, Kupfer und Zink mit Einsätzen und Aufsteckern für Jauche, abgeknickten Nippeln für Blumenampeln, oder Spritzrohr-Verlängerungen, durch die das Wasser wie feiner Regen von allen Seiten strömt. »Man bespritzt damit die ganze Reihe eines Beetes gleichmäßig, ohne die Kanne hin und her zu bewegen.« Tüftler erfanden Schwing-Gießkannen, die auf eine lange Stange montiert waren und deren Rohr man mit einer Kordel herunterziehen konnte, um im Gewächshaus auch extrem platzierte Pflanzen zu erquicken. Offenbar bekam dabei häufig nicht nur der Topf, sondern auch der Kopf etwas ab, denn das Modell konnte sich nicht durchsetzen.

Ein Fach für sich sind die Brauseköpfe, die Kugel-, Teller-, Topf- und Löffelbrausen, ihr Winkel zum Rohr sowie die Zahl der Gießlöcher und die davon abhängige Durchlaufgeschwindigkeit des Inhalts. Ein Exemplar von 1945, das zwölf Liter fasst, lässt sich – volle Kanne – durch seine gerade Kugelbrause mit vierhunderteinundsiebzig Löchern in zweiunddreißig Sekunden leeren. Das sind doch Informationen, die man gerne mit nach Hause nimmt!

Neben der Schubkarre gehört die Gießkanne zwingend zum Handwerkszeug des Gartenzwergs.

Früher, als auf Baustellen der Beton aus Zement, Sand und Wasser noch mit der Schaufel gemischt wurde, gab es auch dort Gießkannen; eine Tradition, die sich unter Vermeidung des Zements bei kleinen Bäckern und Burgenbauern im Sandkasten gehalten hat. Auf der Bleiche wurde das Leinen mit der Kanne besprengt. Auf dem Friedhof erwartet heute noch jeden Hinterbliebenen ein Gestell mit aufgehängten Plastikkannen neben dem Brunnenbecken.

Zentrale Bedeutung und dauerhaften Ruhm gewann der profane Wasserspender in Bad Wörishofen unter Sebastian Kneipp – Motto: »Alle Gewässer loben den Herrn«. Die kalten Güsse, die der Pfarrer dort seinen Kurgästen zur Förderung

des Blutkreislaufs und der seelischen Erfrischung verabreichte, kamen natürlich aus einer grauen Zink-Gießkanne.

Jeder Gartenkatalog zeigt heute ein großes Sortiment an Berieselungsvorrichtungen, die sich jedoch farblich und ästhetisch nicht in jede Anlage einfügen. Ihr Anschluss an den Wasserhahn ist weniger kräftezehrend als das Schleppen von Zwölf-Liter-Kannen, aber Pflanzen bevorzugen nun einmal das abgestandene Zeug aus dem Regenwasserbecken. Deshalb bleibt es dabei: Im Garten nur Kännchen!

Schaut meinen Garten, ihr Würmer, und erbleicht!

Auf ihrer letzten Gartenreise durch die Cotswolds wurde Frau Dr. Z. aus Weimar enttarnt. »Das waren alles Gärtner, und die haben natürlich gleich gemerkt, dass ich selbst keinen Garten habe, sondern nur einen Balkon im vierten Stock«, erzählt sie beim Abendessen im Hotel Byron in Montecatini Terme. »Die haben mich dann gefragt: Ja, warum fahren Sie denn hier mit?« Und Frau Dr. Z., die man eher zu den alten Damen gerechnet hatte, die viel zu schnell mit allem einverstanden sind, legt die Hände flach neben ihren Teller mit den Spaghetti arrabiata, neigt den Kopf und sagt: »Denen habe ich erwidert: ich sehe mir auch sehr gern Zoologische Gärten an und halte zu Hause weder Elefanten noch Krokodile.« So!

Auf der Gartenreise durch die Toskana hat noch gar keiner gemerkt, dass Frau Dr. Z. in Weimar keine eigene Scholle hat, denn wo sich in englischen Cottage-Gärten gesprächsweise Vergleiche mit dem eigenen Staudenbeet und dem Kümmerling von Stachelbeerbusch leicht ergeben, verfügt keiner in der sechzehnköpfigen Reisegruppe über tausend Zitronenbäume, Gartenlabyrinthe aus streng geschorenem Buchs, Freiluft-Theater, Tuffstein-Grotten, Eremitagen, Fontänen oder antike Marmorstatuen, über die man sich austauschen könnte. Frau S. hat in München ein Blumengeschäft, Frau T. in Hamburg einen Schrebergarten, Frau Dr. Z. ihren windigen Balkon, dessen Bepflanzung »nicht der Rede wert ist«. Allenfalls Herr F., Mitglied der »Bambus-Gesellschaft«, spricht von einem etwas größeren Grundstück und raschelnden Riesengräsern am Wassersaum, die einen Sitzplatz beschirmten.

Die Renaissance-Fürsten der Toskana, voran die Familie Medici, legten keine Gärten an, in denen sie selbst wohlig im Mistbeet wühlten oder sorgsam ihren Rittersporn festbanden. Sie wollten eine Bühne, auf der sie ihre Macht und Pracht zur Schau stellen konnten: Wasserbecken von olympischen Ausmaßen, Zypressen-Alleen, mit Blumen ausgestickte Teppich-Beete in perfekter Symmetrie und Terrassen, von denen eine Geste – schaut meinen Garten, ihr Würmer, und erbleicht! – nicht ohne Wirkung bleiben konnte. Außerdem ist es in der Toskana für Rittersporn die meiste Zeit zu heiß.

In der Villa La Petraia, von deren oberster Gartenstufe man heute einen schönen Blick auf den Flughafen von Florenz genießt, sind die Mauern des Innenhofs bis unters Glasdach mit Fresken bedeckt: Medicis auf Sockeln und Siegeswagen, Schwerter oder zusammengerollte Pläne packend und mit leicht angewidertem Gesicht knienden Notabeln die schlappe Hand zum Kuss reichend. Verwunderlich, dass in der Kapelle nicht auch

Gottvater die Züge eines Lorenzo oder Cosimo trägt.

Gärten und Villen der Toskana gehören in die Abteilung Elefanten und Krokodile; ehrfurchtgebietend, aber schwierig zu domestizieren. Nach den Gesetzen der Symmetrie angelegt – das Haus an prominenter Stelle oder im Schnittpunkt aller Sichtachsen – wollten ihre Gründer die Harmonie der Schöpfung nachbilden. Bau- und Gartenkultur in einer seit Jahrtausenden gestalteten Landschaft: Weinberge, Ackerfurchen, Olivenhaine und Reihen von Maulbeerbäumen. Eingeschlossen sind die Gärten von Mauern, die die Sonne aufgenommen haben, aprikosengelb und erdbeerrot, dazu das Terrakotta, in dem stämmige Zitrusbäume wurzeln, und ein Marmorweiß, das von Flechten in ein weiches Feldsteingrau überführt wurde. Wasser schießt aus steinernen Fischrachen, tropft in von Statuen bewohnten Grotten, oder liegt als stiller grüner Spiegel im Schatten der Platanen. Noch immer webt etwas von der alten Festlichkeit in diesen Anlagen; der Wunsch nach Überschaubarkeit, nach idealen Verhältnissen und die Hybris, dass sie zu schaffen wären. »Modernen Gartenliebhabern, für die der Reiz eines Gartens in immer neuen Bildern von Blütenpracht besteht, ist schwer zu erklären, wie der Zauber italienischer Gärten allein von etwas so Langweiligem und Einförmigem wie behauenem Stein und beschnittenem Grün hervorgerufen werden kann«, schrieb die weitgereiste amerikanische Schriftstellerin Edith Wharton bereits 1904.

Der Preis für den gravitätischen Auftritt ist gelegentlich eine gewissen Starre, in der sich außer der Heckenschere, der Unkrauthacke und dem Gabelstapler, der im Herbst die tonnenschweren Kübel in die verglaste Limonaia fährt, nichts mehr rührt. Der Garten ist Denkmal geworden, so sorgfältig konserviert wie die Villa, die er umgibt – als würde er nicht wachsen und altern und manchmal auch sterben, wie der Giardino Garzoni bei Collodi.

1994 wurde er mit Zuschüssen der EU restauriert, so liest man; und: im siebzehnten Jahrhundert in der noch heute gültigen Gestalt angelegt, stehe er im selben Rang wie Versailles, Sanssouci und Wilhelmshöhe. In großen Terrassen, verbunden von sich kreuzenden Treppen und figurengeschmückten Balustraden, zieht sich die Anlage einen steilen Hang hinauf. Buchsbaumhecken in geometrischen Mustern umfassen Beete, die im Herbst dicht mit roten, weißen und rosa Eisbegonien bepflanzt sind, ein Blümchen, das im Allgemeinen als dankbar gilt, aber nicht einmal als Flor viel von sich hermacht. (Leider sind es nie die Dankbaren, die uns hinreißen.) Auf einer Viale degli Imperatori schauen die Büsten antiker Herrscher aus dem beschnittenen Grün wie aus Bilderrahmen auf den Betrachter herunter. Ein Wald füllt den Hintergrund. Mitten hindurch führt eine Schneise bis zur Statue des Ruhmes, die am oberen Ende auf einem Bein balanciert und in hohem Strahl Wasser in ein Becken bläst, aus dem es sich bergab über eine von grotesken Tierskulpturen gesäumte Wassertreppe ergießt.

Neben dem Garten thront die Villa Garzoni wie eine stolze Mama, die ihren wohlgeratenen Sohn vorschiebt. Sie ist seit Monaten geschlossen und mit Bauplanen zugehängt. Napoleon soll hinter einem ihrer hundert Fenster übernachtet haben, und in der Küche schrieb der Neffe des Verwalters, Carlo Lorenzini alias di Collodi *Pinocchios Abenteuer*.

Ach, was für eine traurige Gartengestalt! Das Geld reichte offenbar gerade zur Erhaltung der mit Blumen oder farbigem Kies ausgefüllten Beete des ersten Parterres. Je höher man steigt, umso ruinöser zeigt sich der Giardino Garzoni. Von den Statuen ist keine mehr heil. Mürbe Arme werden von Plastikbändern zusammengehalten, Hände und Füße fehlen. Halbe Gesichter blicken wie Ertrinkende über die geschossenen Hecken. Neben der Freitreppe liegt eine zerbrochene steinerne Frau rücklings im aufgeschossenen Gras, und auf den bewaldeten Terrassen kämpfen Männer auf Stehleitern mit Motorsägen gegen das Gewicht der ausgewachsenen Steineichen, unter dem sich die Mauern wölben. Unbesiegbar erscheinen nur die kleinen wilden Zyklamen, die überall im lichten Schatten sprießen. Vermutlich waren sie nicht vorgesehen.

»Seien Sie bitte gerecht!«, sagt Frau W. zu der unzufriedenen Frau M. »Das ist ein Garten, wie er in die Toskana und in seine Zeit passt. Ich sehe ihn eher so, wie er einmal gedacht war, und nicht, wie er heute aussieht.« Gedacht war er als großes allegorisches Theater, in dem Diana und Bacchus, Apoll und Daphne auftraten; als ein Monument der Ordnung und des überlegenen Gestaltungswillens, mit dem sich der Mensch seinen Garten Eden nach eigener Fasson erschuf. Nur, wo der Wille erlahmt, übernimmt die große Unordentliche sogleich das Regiment. Die Natur duldet kein Vakuum, keinen bunten Kies und keinen Formschnitt. Und was im achtzehnten Jahrhundert als kunstreich und anmutig geschätzt wurde, wirkt heute wie der Spleen eines größenwahnsinnigen Schrebergärtners. Frau M. findet, es passe zwar nicht in die Toskana, aber durchaus zum Giardino Garzoni, dass ihr Cappuccino im Gartencafé in der Mikrowelle gekocht wurde.

Dann sitzen alle wieder im Bus, die Erfrischungs-Tüchlein werden freigelassen, und Hermine van Wijhe-Ruys, unsere Führerin, pustet ins Mikrofon. »So, es geht weiter!« Im Fahren bereitet die kleine Frau mit den Sonnenfalten und den Gärtnerinnenhänden ihre Gruppe auf die hortikulturellen und architektonischen Erscheinungen vor, die sie in Kürze durcheilen werden; Renaissance, Barock, Romantik, der Einfluss englischer

Landschaftsgärten auf die künstliche Natur und die *ars topiaria*, die Kunst, Hecken mit der Schere zu formen. Seit wir am Dienstagmorgen in Florenz aus dem Liegewagen gestiegen sind und von Frau van Wijhe-Ruys stracks in die Boboli-Gärten geführt wurden, sind wir in Bewegung. Die Chigis, die Piccolominis, König Victor Emanuel, Generationen von Medici, der französische Gartenarchitekt Le Nôtre, die Herren Tribolo, Vasari und Brunelleschi, die Pecci Blunts und Lord Lambton brausen uns als Gespenster durch neun Gärten, durch Siena, Lucca und Florenz voraus. Nicht einmal Frau Dr. Z., die doch schon Mitte sechzig ist, lässt sich bis Freitagabend von ihnen abhängen.

In der Villa Reale in Marlia schwangen die blickdichten, eisernen Parktore zur vollen Stunde auf und schlossen sich geräuschlos hinter der Gruppe. Eine junge Frau ging voraus, die sehr mürrisch wurde, als Herr und Frau B. die falsche Treppe einschlugen und sich in einem verlassenen Gutshaus an der zusammengebrochenen Kücheneinrichtung ergötzten. Die Villa präsidierte in splendid isolation und einem makellosen Rahmen: ihr »Wassertheater« im Rücken, ein halber Mauerbogen speiender Brunnen, und der Blick über einen Rasen von königlichen Ausmaßen auf einen stillen Schwanensee. Hinter haushohen Eibenhecken versteckt, lagen ein Wassergarten aus miteinander verbundenen Becken und grüngelb panaschierten Buchsbaumkugeln, ein Nymphen-Heiligtum mit Grotte und ein Theater, in dem Terrakotta-Figuren aus der Commedia del Arte zwischen den Rasenbänken und der grünen Kulisse posierten. Paganini hat hier gespielt.

Es war sehr still und leer; nur der Wagen eines Klempners hielt in der Auffahrt. Zwei Männer stiegen aus und luden eine Leiter ab. Nach einer Stunde waren wir wieder draußen. Uns fehlten noch etwa sechzehn Hektar und zweihundert Jahre.

Sichtbarer bewohnt war die Villa Cetinale bei Siena. Vor fünfundzwanzig Jahren hatte Lord Anthony Lambton Haus und Garten in verlottertem Zustand gekauft. In den siebziger Jahren war er Staatssekretär im Verteidigungsministerium unter Edward Heath gewesen, hatte sich jedoch von seinem Job unterfordert gefühlt und Zerstreuung in »exzessiver Gartengestaltung und sexueller Ausschweifung« gesucht, wie er später dem Beamten vom MI5 erzählte, der den Lord in Sachen Erpressbarkeit vernahm. Die Gärtnerei spielte sich um Biddick Hall im County Durham ab, die Ausschweifung im Bett eines Londoner Callgirls. Der Geheimdienstler kam zu dem Schluss, die schweren »Anfälle von Gartenarbeit« stellten ein größeres Sicherheitsrisiko dar, als die Nächte mit dem Callgirl, da sie eine »fragwürdige geistige Gesundheit« verrieten. Lord Lambton nahm seinen Hut und zog mit einer Mrs. Ward in die Villa Cetinale ein, ließ den Garten lichten und gab ihm seine barocke Gestalt wieder.

Wer mag der weißhaarige alte Herr in verblichenen roten Hosen sein, der sich von der Liege am Swimmingpool erhebt und so tut, als sähe er die Touristen nicht, die durch den Obst- und Blumengarten streifen, wo noch Rosen blühen, Salbei duftet und gelbe Birnen am Spalier vor der warmen Mauer reifen? Lord Lambton, I presume.

Eine lange Blickachse führt mitten durch sein Haus, durch das Korbsofa unter dem Eingangsbogen und den Spaniel auf den Schachbrettfliesen, entlang der schwarzen Zypressen-Allee und durch eine mediterrane Wildnis aus Steineichen, Ilex und Erdbeerbüschen, eine antike Steintreppe hinauf bis zu einem Romitorio, einer großen Einsiedelei auf dem Berg. Rosmarin, Oregano und Kalaminta sprießen zwischen den Stufen. Aber das Romitorio ist geschlossen. Es riecht nach frischem Putz. Seine Lordschaft lässt es renovieren.

Umwittert ist die Villa von allerlei Fragen. Erbaut hatte sie ein Kardinal Flavio Chigi, der sich anfallsweise in den heiligen Wald am Fuß der Treppe zurückzog, um dort über ein Verbrechen nachzudenken, das er aus unheiliger Liebe angezettelt hatte. Als Siena Ende des siebzehnten Jahrhunderts von politischen Unruhen heimgesucht wurde, verlegte man den Palio, das Sieneser Pferderennen, in diesen Wald, wovon Steinskulpturen der beteiligten Zünfte künden sollen, die jedoch weder Hermine van Wijhe-Ruys noch einer aus der Gruppe aufstöbern kann.

Nach der fünften Grotte, nach Meilen von Buchs und Regimentern von Kübeln, beginnt Frau M., sich nach etwas weniger historischer Gartenleidenschaft und nach den Geschichten und Gesichtern der Gärtner zu sehnen. Manchmal auch nur nach Brot und Schinken, Peccorino und Rotwein, wie sie den Reisenden im Hof der Villa di Fagnano gereicht wurden, ein ockerfarbenes, kastenförmiges Haus mit Spitzbogenfenstern, das nicht einmal besonders schön war. Aber es war belebt und bewirtschaftet; hatte einen Besitzer in Gestalt von Signor Pietro Terrosi, einem Arzt und Winzer mit dunkelblondem Backenbart, der uns die Kapelle und den Säulengang zeigte, in dem sich ein Piccolomini im sechzehnten Jahrhundert erging, und die Requisiten kreuzritterlicher Ahnen – Sporen, Steigbügel und Schlüssel –, die zur Besichtigung in der Vorhalle auf enormen Schatztruhen ausgerichtet lagen. Die Rabatten waren ein wenig aus der Fasson, und von den Mauern des Nymphäums im Wald fiel der rosarote Putz. Nein, sagte die Tochter von Herrn Terrosi, in dem großen Wasserbecken, das unter den Bäumen lag, könne man nicht schwimmen. Es sei viel zu kalt. Australische Soldaten, im Zweiten Weltkrieg in der Villa stationiert, wären als letzte hineingesprungen. Das Wasser sah aus, als sei es seither nur vom Regen ein wenig erfrischt worden. Frau M. hätte sich trotzdem gern auf den bemoosten Rand gesetzt und wenigstens ihre müden Füße reingesteckt. Aber es ging weiter.

Kühles, sprudelndes, unerschöpfliches Wasser – ein Zeichen von Reichtum und Sorglosigkeit: Lass rauschen dahin! Wieder waren es die Medici, die im Garten ihrer Villa di Castello in den Hügeln über Florenz den üppigsten Auftritt inszenierten: zuerst der Herrscherblick über das Teppichmuster des Parterres ins Land hinaus! Dann: tausend Kübel mit ausgefallenen Zitrus-Züchtungen! Die Limonaia groß wie eine Fabrikhalle. Ein verborgener Kräutergarten, dessen Mauern die Düfte von gefülltem Jasmin, römischer Kamille, Wermut, Zitronenverbene, Engelstrompeten, Lavendel und Minze wie in einem Gefäß einschlossen – und zum Schluss das große Allegorien-Theater der Grotte!

Nicht gruftig, eher kirchlich öffnet sich ein hoher, perlmuttglänzender Raum mit drei Nischen; Decke, Wände und Gewölberippen sind mit Muschelmosaiken, silbernen Schuppen und bunten Kieseln geziert. In jeder Apsis stehen monumentale Badewannen und darüber hocken, kauern, springen steinerne und bronzene Tiere, wild und zahm, aus jedem Kreis der Erde friedlich beisammen. Am höchsten bäumt sich das Einhorn, Sinnbild der Reinheit und Wappentier Cosimos I., das in seiner Vorbildlichkeit für die Regierung des Großherzogs steht: die Toskana, ein einziger Garten. Perfekt wurde das Szenario damals, wenn der Obergärtner das Wasser aufdrehte, das durch kleine Duschköpfe im Fußboden aufschoss, als befeuchtendes, befruchtendes Element die Grotte füllte und die Tiere schwitzen ließ. Mit dem Ende der Medici-Dynastie zerbrach der Mechanismus der Wasserspiele und konnte auch bei der über zweihundertfünfzigtausend Euro teuren Restaurierung nicht wieder in Gang gesetzt werden.

Doch sonst spricht alles von Funktion und Sinnhaftigkeit. Ein Löwe ist unter den Tieren – die Macht, ein Bär – möglicherweise der Mut, ein Rhinozeros – sicher die Stärke, ein Kamel für Beharrlichkeit, eine Kuh für die Milch der frommen Denkungsart, wer weiß. Eine Ziege, ein Dachs, ein Affe – da wird es schwierig. Kein Krokodil, aber Frau Dr. Z. freut sich, einen Elefanten zu sehen.

»Die Liebe kommt sogar zu den Pflanzen«

An der ersten Station auf schwedischem Boden – Malmö Syd – liegen Gegenstände auf dem Bahnsteig, die dort nicht hingehören: eine gestreifte Shorts, ein weißes Hemd, ein schwarzes Jackett. Reisende werfen nachdenkliche Blicke darauf und ziehen weiter mit bollernden Koffern. Durcheinander ist der erste Eindruck von einer Region, die mindestens zwei große Systematiker hervorgebracht hat: den Naturforscher Carl von Linné, der die Schöpfung ordnete, und den Ikea-Erfinder Ingvar Kamprad, der für Übersichtlichkeit im Möbelzusammenbauen sorgte.

Linné wurde 1707 als Carl Linnaeus im südschwedischen Småland geboren. Geadelt wurde er erst 1757. »Ein großer Mann kann aus einer kleinen Hütte treten«, hatte er stolz von sich gesagt. Råshult war wirklich nicht mehr als ein Bauernhöfchen. Die nächste Stadt ist Älmhult, zu seiner Zeit auch nur ein Flecken mit einem Wirtshaus. Zweihundertfünfzig Jahre später eröffnete dort die erste Ikea-Filiale – dies nur nebenbei – und in der Bahnhofs-Anlage steht Linnés Denkmal; ein junger Mann mit offenen Haaren und offenem Kragen in Kniehosen und Schnallenschuhen, der begeistert auf ein Pflänzchen in seiner erhobenen Hand blickt. Drumherum sprießen die Blümlein, denen er einen botanischen Namen gab: Hornveilchen, Immergrün und Akelei.

In Schweden heißt Linné auch der Blumenkönig. Er selbst nannte sich Fürst der Botaniker und General über Floras Armee; seine Gegner nannten ihn einen Schweinigel, denn er klassifizierte die Pflanzen nach einem »Sexualsystem«, dem die Anzahl ihrer Fortpflanzungsorgane, der Staubgefäße und Stempel, zugrunde liegt. Linné verband mühelos Ordnung mit Leidenschaft, und in seiner naturwissenschaftlichen Prosa schwingt etwas von der Mainacht mit, in der er zur Welt kam.

»Im Lenz drängt es jedes Lebewesen zum Geschlechtsakt. Ja, die Liebe kommt sogar zu den Pflanzen. Frauen und Männer, selbst die Hermaphroditen halten Hochzeit … Die Blütenblätter spielen bei der Zeugung keine Rolle; sie sind lediglich das Brautbett, das der Schöpfer so herrlich mit kostbaren Vorhängen geschmückt und mit köstlichen Düften parfümiert hat, damit Bräutigam und Braut ihre Vereinigung darin mit umso größerer Feierlichkeit begehen.« Nach Linné hat es die Iris in der Klasse Triandria mit drei Staubgefäßen und einem Stempel noch übersichtlich getroffen: »drei Gatten in einer Ehe«. In der Klasse Pentandria, der Borretsch, Petunie und Holunder angehören, steht es fünf zu eins, und in Polyandria liegen »zwanzig und mehr Männer mit derselben Frau im Bett«, ein Zustand, dessen sich der Mohn und die Linde erfreuen, während der blütenlose Farn als Kryptogamer »seine Hochzeitsnacht im Verborgenen feiert.«

Dieses »lüsterne System« stieß Linnés Zeitgenossen, dem Botaniker Johann Siegesbeck übel auf. Der HERR hätte eine solche »widerwärtige Hurerei« im Pflanzenreich niemals geduldet, wetterte er. »Wer hätte sich träumen lassen, dass Glockenblume, Lilie und Zwiebel zu solcher Unmoral imstande sind.« Linné, der sich Freunden gern erkenntlich zeigte, indem er Blumen nach ihnen benannte – wie Alstroemerie, Gardenie und Rudbeckie –, taufte ein kleines stinkendes Unkraut Siegesbeckie, denn Kritik vertrug er nur schlecht. Auch Herr von Goethe sah die Keuschheit der Jugend durch das Linné'sche Sexualsystem gefährdet; glücklicherweise erst 1820, als deren Erfinder schon über vierzig Jahre tot war.

Das System hat die Zeitläufe nicht überdauert. Unsterblich hat sich Linné jedoch mit der konsequenten Einordnung der Lebewesen und ihrer lateinischen Doppelbenennung gemacht. Sein Werk *Specius plantanum* von 1735 bildet die Grundlage der modernen biologischen Systematik. Pflanzen, die vorher wortreich und inkonsequent beschrieben worden waren, klassifizierte er bündig nach Gattung und Art. Dank seiner binären Nomenklatur wissen Gärtner heute über alle Sprachgrenzen hinweg, wovon bei *Liriodendron tulipifera* und *Crambe cordifolia* die Rede ist, nämlich von Tulpenbaum und Kaukasischem Meerkohl.

Was ein Garten zu Beginn des achtzehnten Jahrhunderts an Pracht und Nutzen hergab, lässt sich in Råshult besichtigen. Linnés Geburtshaus – eine hölzerne Kate mit Torfdach, kleinen Fenstern und niedrigen Decken – ist ein Nachbau. Es riecht nach Minze. Über dem offenen Herd trocknen die Kräuter in Büscheln. Gänse gakeln über den mit Flusssteinen gepflasterten Hof. Grüne Kläräpfel rollen ins Gras. Stangenzäune, die wie ein Lawinenverhau aussehen, halten Schafe und Kühe außen vor. Die Gärten sind nach den Aufzeichnungen des Vaters angelegt. Nils Linnaeus war Pastor, der seinen Himmel auf Erden bei Rittersporn und Ringelblume, Johannisbeeren, Ysop, Lavendel und Hopfen fand. Für seine schwangere Frau legte er neben dem Haus einen kunstreich ersonnenen Ziergarten an. Um ein rundes Beet – einen »Tisch« mit einer Decke aus Thymian, Tellern aus Buchsbaum, Kelchen aus Rosmarinstämmchen und einer Dachwurz-Torte in der Mitte – liegen die Plätze für Pfarrer Linnaeus und seine Gäste: Probst Flintensteen nebst Gemahlin und andere lokale Honoratioren. Man stelle sich den Eindruck auf die Frau Pröpstin vor, die sich hier in Form eines Duftschneeballs wiederfand!

Nils Linnaeus umkränzte die Wiege seines Sohns mit Blumen, und mit vier Jahren bekam Carlchen seinen ersten eigenen Garten. Da war die Familie bereits zwei Kilometer weiter nach Stenbrohult am Möckelsee gezogen. Das Grab der Eltern und eine im hohen Gras versunkene Kellertreppe sind die einzigen Spuren. Das Pfarrhaus wurde abgerissen, die Kirche 1828 durch eine größere, hellere mit weißen Holzbänken ersetzt. Aber die Mauersegler sirren wie in jedem Sommer über den Himmel und die Farben – das Gelb und Rot der Häuser, das Blitzblau des Wassers, das Moosgrün der

Felsen, die aus den Wiesen buckeln und das Löcher in die Luft brennende Pink der Weidenröschen auf den Waldlichtungen – sind die gleichen wie vor dreihundert Jahren. Am anderen Ufer liegt das Herrenhaus Möckelsnäs, wo Carl im Rahmen eines geistlichen Hausbesuchs seine erste Schokolade gekostet haben soll. Möckelsnäs ist heute ein elegantes Hotel unter großen Ulmen mit einer Kaffeeterrasse zum See und einer Orangerie zur Landseite, in der siebenhundert Pflanzen, die ihre Namen von Linné bekommen haben, in eingekastelten Hochbeeten gezogen werden.

In Växjö, dreißig Kilometer weiter nördlich, ist er zur Schule gegangen. Es war keine sehr ermutigende Erfahrung. Das Karolinerhaus neben der ziegelroten Domkirche steht noch, und hinter der Kirche liegt der ausgezeichnete Stadtpark mit geschwungenen Rabatten, einer Rinne, in der Papierschiffchen um die Wette schwimmen, und einem Lehrpfad, auf dem man das Linné'sche Sexualsystem anhand von Plaketten und beispielhaften Pflanzen abschreiten kann. In der Abenddämmerung haben sich auf der Wiese junge Menschen mit schwarz gefärbten Haaren, Bierdosen und aufgeschnürten Stiefeln niedergelassen, die sich zwar einen Dreck um die Botanik scheren, und doch in eine der vierundzwanzig Klassen sexuell aktiver Lebewesen passen, allem Anschein jedoch nicht zu den Kryptogamen.

Was war das für einer, der sechstausend Pflanzen- und viertausendvierhundert Tierarten katalogisierte (und am Ende seines Lebens einsah, dass er, bei allem Fleiß, auf uferlosem Terrain unterwegs war)? Ein selbstbewusster Sohn seiner Zeit, unersättlich neugierig, skeptisch; hartnäckig auch in seinen Fehleinschätzungen – etwa, dass die Schwalben auf dem Grund der Seen überwintern oder dass der Schatten des Holunders für Menschen von Übel sei und seine Beeren den Hennen unbekömmlich.

Vorwiegend war er bescheiden und charmant, fand immer Gönner, erst als armer Student, der sich Papier in die durchgelaufenen Schuhe stopfte, später als Reisender, Forscher, Publizist. Die botanischen Exkursionen, die er als Professor der Medizin in Uppsala ins Umland führte, waren gesellschaftliche Ereignisse, die von Fahnenschwingern, Hörnern und Kesselpauken begleitet wurden. Er machte sich der königlichen Familie angenehm und wurde in den Adelsstand erhoben. Dass er eine sehr gute Meinung von sich hatte – »Gott erschuf, Linné ordnete« – liest man ebenfalls. Auch

von ein paar Schummeleien, was die Weite seiner Lapplandreise betrifft.

1732 war er allein nach Norden aufgebrochen, ausgerüstet mit einer Zopfperücke, zwei Nachtmützen, Lupe, Notizbuch, Tabaksbeutel, Tintenhorn, Mückenschleier, einem Kamm, einem kurzen Schwert und einer Pflanzenpresse. Er kehrte in Rentierstiefeln, Fäustlingen, gegürtetem Pelzkittel und ohne Perücke zurück. Stattdessen trug er ein schickes Barett, dessen Herkunft sich selbst die Direktorin des Linné-Museums in Uppsala nicht erklären kann.

»Du hättest sein Museum sehen sollen«, schrieb ein Besucher über Linnés Studentenbude, »und voller Vergnügen und Bewunderung hättest Du dessen Hausherrn geliebt. Die Decke hatte er mit Vogelleder, eine Wand mit einer Lappentracht und anderen Kuriositäten und eine andere Wand mit größeren Pflanzen und Schalentieren dekoriert.« Zwischen Büchern, Mineralien, Fischhäuten, Präparaten, Instrumenten und Blumentöpfen lehnten Äste, durch die zahme Vögel hüpften. Es klingt weniger nach Systematik als nach Sammelsurium und erinnert an die rumpeligen Scheunen, die in Småland besonders reich vorkommen und zu denen Pfeile den Weg weisen: Loppis – Flohmarkt.

Auf den Spuren von Linné zu reisen bedeutet, wie er ständig aus dem Wagen zu steigen, um etwas am Straßenrand zu inspizieren: zum Beispiel Huseby Bruk zwischen Salen- und Åsen-See, »wo eine bedeutende Eisenhütte mit Hochofen, Stückgießerei, Hämmern und Mühlen angelegt wurde.« Qualm und Lärm sind verweht, seit Floras General 1741 hier vorbeischaute, nur das Wehr braust noch immer niagarisch. Ein alte Ulmenallee führt zur granitschwarzen Mühle und zum Herrenhaus, in dem eine Ausstellung über Linnés »Lehrjungen« gezeigt wird, seine Schüler, die bis Japan, Amerika, zum Kap der guten Hoffnung und mit Kapitän Cook um die Welt segelten, während der Alte aus dem Lehnstuhl in Uppsala gute Ratschläge sandte.

Ob ihm der englische Park von Huseby Bruk gefallen hätte? Die Rhododendren-Wildnis? Vielleicht eher der Garten von Kurrebo nördlich von Urshult, eigentlich das Versuchsgelände eines Samenzüchters und daher von großer methodischer Pracht. Auf dem Hügel über dem See liegt ein Café, und hier hätte vermutlich Herr Linnaeus Kaffee getrunken, Apfelkuchen gegessen, seine Pfeife geraucht und sich an den neuen Dahliensorten ergötzt.

Mit einundzwanzig Jahren hatte Linné Småland verlassen und war nach Uppsala gezogen, heute eine Bahnreise von viereinhalb Stunden nach Norden mit Umsteigen in Stockholm. Uppsala ist eine alte Gelehrtenstadt, zwischen deren Dächern das Schloss, der backsteinrote gotische Dom und der grünspanige Knauf auf der Kuppel der Universität ragen, die nun das Museum Gustavianum behaust. Unter der Kuppel liegt das anatomische Theater. Linnés Vorgänger Rudbeck hatte es eingerichtet: abgetretenes Holz, kahle graue Ränge, die sich eng und steil rund um einen Seziertisch stapeln. Hat er hier das Handwerk der Mediziner gelernt? Die Ausbildung soll mäßig gewesen sein. Aufgeschnitten wurden meistens tote Tiere. Um Einblick in die menschliche Anatomie zu gewinnen, reiste der Student nach Stockholm, wo eine hingerichtete Frau seziert wurde. Die Reise hatte er sich vom Essen abgespart. Das Katheder, hinter dem Linné als Professor stand, ist noch da und ein königliches Kuriositätenkabinett, komplett mit den Wundern des siebzehnten Jahrhunderts.

Durch Uppsala fließt der Fyrisån, ein klares Wasser mit Enten und Teichrosen, von grünen Uferwegen gesäumt. Die Blumenkästen auf den Brücken und rund um die Grabplatte im Dom sind zu Ehren von »Mr. Flowerpower« duftreich bepflanzt. Fahrräder hoppeln übers Kopfsteinpflaster. In den Abendstunden wirbeln Schwärme von Dohlen über der Stadt wie schwarze Papierfetzen aus einem sehr großen Feuer. In Uppsala machte Linné Karriere. Er heiratete Sara Lisa Morea, eine reiche, stattliche, tüchtige, gleichwohl nicht vollkommen liebenswürdige junge Frau und brachte den alten botanischen Garten und das Haus innerhalb seiner Mauern, das »eher einem Eulennest oder einer Räuberhöhle als der Residenz eines Professors glich«, auf Vordermann. In diesem schönen gelben »Botanischen Haus« mit seinen Kachelöfen und bemalten Tapeten, Dielenböden und eleganten Barockmöbeln steckt der ganze hingebungsvolle, begeisternde, ordnungsfimmelige Linné. Hier hielt er seine privaten Vorlesungen, zu denen die Studenten bis ins Treppenhaus standen.

Seine Spazierstöcke liegen unter Glas, ebenso seine seidene Börse und der Orden, ohne den er nie das Haus verließ; die silberne Schüssel, aus der er unglaubliche Portionen Walderdbeeren als Medizin gegen seine Gicht aß, das Kabinett mit der Insektensammlung, das chinesische Teegeschirr mit »seiner« kleinen rosa Glockenblume, der *Linnea*

Borealis, das Notizbuch von der Lapplandreise und ein arg mitgenommener Rentierstiefel. Vom Arbeitstisch am Fenster kontrollierte der kurze Mann mit den flinken Augen die Vorgänge im streng gegliederten Garten, rannte hinunter, wenn etwas nicht nach Wunsch verlief oder »Halunken die Pflanzen beschädigten oder stahlen.« Da er für gewöhnlich nachts um drei aufstand, streckte er sich tagsüber auf dem schmalen blauen Bett aus – für ein Viertelstündchen.

Linné und die Botanik – es gibt kein Entkommen: Er und sein Garten sind auf den schwedischen Hundert-Kronen-Schein gedruckt, in Uppsala gibt es Linné-Kaffeestückchen und ein Linné-Menu beim Italiener – Gazpacho, Rippenstück vom Lamm, Käsekuchen mit Himbeeren. Gazpacho? Egal! Von der Stadtmitte fahren gelbe Streublümchen-Linné-Busse hinaus nach Hammarby, wo der Mann einen Bauernhof als Sommer- und Ruhesitz gekauft hatte: drei rostrote Holzhäuser mit weißen Fensterläden und ein kleines gemauertes, feuerfestes Museum für seine Naturalien-Sammlungen auf einem Felsbuckel dahinter. Den krummen Holzapfel und die gebeugte Weichselkirsche hat er noch selbst gepflanzt.

In seinem Schlafzimmer sind die Wände mit botanischen Drucken tapeziert, darüber hängt ein Gemälde seines Lieblingsäffchens Grinn. Die Portraits der Töchter finden sich im Studierzimmer; vom Sohn gibt es gar kein Bild. Linnés Ehe mit der bosheitsfrohen Sara Lisa und sein Familienglück waren nur so lala, aber die Natur blieb ihm als eine unerschöpfliche Freude, auch als er nicht mehr verstand, dass er selbst all diese wunderbaren, gelehrten Bücher über sie geschrieben hatte. Von der kleinen offenen Veranda vor der Haustür blickt man heute auf einen *Hortus uplandicus*, dessen Gartentor sich zu einer weiten Ebene voller Kornfelder und grüner Feldraine öffnet, über die weiße längliche Wolken in mustergültiger Staffel ziehen, als sei die ordnende Hand auch im Himmel noch tätig.

Sonett auf einen Sommergast

Geh ich zum Kirschengarten, bist Du da.
Sitz ich beim Wein, fühl ich, Du bist gewesen.
Ich seh Dich nicht, doch Du bist mir stets nah,
Und erst der Herbst lässt mich von Dir genesen.

Mein Sommergast, so fraglos eingenistet –
Du frisst mich, wie ich bin, mit Haar und Haut.
Mein bisschen Grün hast Du mir abgelistet
Und Dir darin ein Sperrgebiet erbaut.

Dort lauerst Du beim *Tropaeolum*,
Siehst mich gedankenvoll am Zauntor steh'n:
Gift, Pech und Schwefel, Petroleolum?
Den Garten mit dem Flammenwerfer mäh'n?

Doch opferte ich Fuchsie und Astilbe,
Du überlebtest, Dämon Sommermilbe.

»In Freiheit mit Blumen, Büchern und dem
Oscar Wilde

Karel Čapek
Das Jahr des Gärtners
Neuübersetzung aus dem Tschechischen
von Marcela Euler
Mit Zeichnungen von Anna Luchs
176 Seiten
ISBN 978-3-89561-591-7

Karel Čapek herrlich erfrischender Klassiker der modernen Gartenliteratur liegt zu seinem 120. Geburtstag endlich in einer neuen Übersetzung vor: Humorvoll, leidenschaftlich und selbstironisch, ist *Das Jahr des Gärtners* ein unentbehrliches Buch für jeden Gärtner, für Gartenfreunde und ihre Angehörigen, selbst, wenn sie nur einen Balkonkasten ihr eigen nennen.

Schöffling & Co.

Mond – wer könnte da nicht glücklich sein?«

Rose Blight/Germaine Greer
Heckengeflüster
Aus dem Englischen von Brigitte Walitzek
Mit zahlreichen Vignetten
160 Seiten
ISBN 978-2-896561-592-4

Germaine Greer kennt man als Autorin des weltweit berühmten Bestsellers *Der weibliche Eunuch*, doch neben ihrem Beruf als Professorin für englische Literatur lebte sie ein zweites Leben als Rose Blight, als Gärtnerin und Autorin witziger, hingetupfter Bösartigkeiten über die Kunst und die Mühen, einen Stadtgarten zu gestalten.

Schöffling & Co.